シリーズ
世界の宗教と文化

図解でわかる
14歳から知る

インド・中国の宗教と文化

山折哲雄・監修

インフォビジュアル研究所／大角修・著

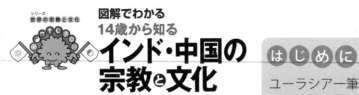

シリーズ
世界の宗教と文化

図解でわかる
14歳から知る
インド・中国の
宗教と文化

はじめに

Part 4
古代中国の
宗教

Part 5
シルクロードの仏教と
その他の宗教

おわりに

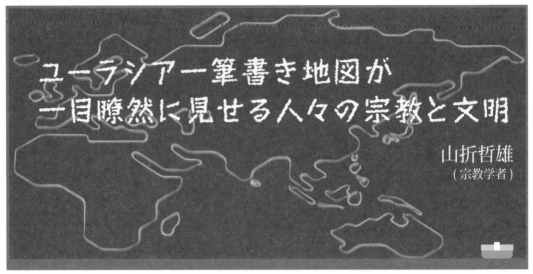

ユーラシア一筆書き地図が
一目瞭然に見せる人々の宗教と文明

山折哲雄
（宗教学者）

人類史を一目瞭然にする

　大学を出て、女子中学校社会科の非常勤講師になった時のことです。世界史の時間でした。私は横長の黒板いっぱいに使って、世界地図の形を白墨による一筆書きで浮かび上がらせたことがあります。

　黒板の左はしからスカンジナヴィア半島、そこからヨーロッパを南に下り、地中海にそって、イスラエル。白墨はアフリカ大陸に入り最南端を回ってアラビア海へ。中東を辿ってインド亜大陸に至ります。そこからインドシナ半島から中国大陸、そのままカムチャッカ半島まで……。

　生徒たちはポカンとした顔をして、何が起こったのかとけげんそうな顔をして、私の方を見ていました。

　私は、この地球に分布するアメリカを除く陸地と海の間に一本の線を刻み込み世界の諸国がどんな形で連なり、隣接しているか、その全体像を描いたのです。

　その次に生徒たちに、自分のノートにこの一筆書きの地図を描くように指示したの

ですが、生徒たちは私の意図にようやく気付いたようでした。

　私はこの一筆書きの地図を使い授業を始めました。イスラエルのあたりでユダヤ教やキリスト教が発生し、それが世界に広がっていった歴史、中央アジアからのアーリア民族の南下侵略とインドのバラモン教、仏教、ヒンドゥー教の成立。それがまた中央アジアやチベットを通って中国大陸に伝わり、その流れが道教や儒教と混じり合い、東アジア文明圏を形成する。

　一筆描きの西の方では、ローマ帝国の成立やゲルマン民族の南下、アラビア半島におけるイスラム文明圏の新展開とその拡大のありさま……。

自分だけの歴史地図を作ってみる

　人類史の展開を、シンプルな一筆描きの地図の広がりの中で、絵巻物のように一目瞭然に浮き上がらせてみよう、そんな意図での授業でした。

　現在の授業の現場から見ると、そんなことなら博物館や歴史資料館には、立派な世

1 文明の萌芽 紀元前6000~紀元前2000年

紀元前2700年頃
シュメール人が
メソポタミアに
都市国家をつくる

紀元前6000年頃
から黄河・長江流域で
稲作始まる

紀元前2600年頃
インダス川流域に
都市文明誕生

2 古代民族の移動と最古の王朝の誕生
紀元前1600~紀元前1200年

インド・ヨーロッパ語族

紀元前1600年頃から
最古の王朝殷・周、成立

イラン人

インド・アーリア人

紀元前1600年頃
中央アジアから北インド
にアーリア人が侵入。
ヴェーダの神が祀られる

3 人類の奇跡の時、普遍宗教の誕生
紀元前600~紀元前500年頃

紀元前550年頃
アケメネス朝ペルシャ
ペルシャ人のゾロアス
ターが善悪2原論のゾ
ロアスター教を創始

紀元前500年頃
仏教・ジャイナ教・ウ
パニシャッド哲学が
誕生する

紀元前770~220年頃
春秋戦国時代
諸子百家と呼ばれる新しい思
想家が出現する。儒教・道教・
陰陽家など現在につながる

4 仏教が世界宗教としてユーラシアに流布
紀元前300~紀元前300年頃

インド最初の統一王朝の
アショーカ王が、仏教を国
教とした

アショーカ王はス
リランカにも布教

5 イスラム教誕生、シルクロードから
唐にインド仏教が伝わる
400~600年頃

400年頃から唐の僧が
シルクロードを旅し、イ
ンドに仏典を求めた

チベット 仏典

ササン朝
ペルシャ

622年にムハンマド
イスラム教開教

一時衰退したバラモン教は
インドの民間信仰を取り入
れヒンドゥー教として復活
する

バラモン教 仏教 中国宗教 ヒンドゥー教 イスラム教 キリスト教

6 モンゴル帝国のユーラシアの統一
1200年~1400年頃
1206年頃から、遊牧民の族長チンギスが、東ヨーロッパを
征服する。歴代の皇帝が仏教に帰依したため、この地図で
はモンゴル帝国を仏教国に色分けしている

キプチャク・ハン国 オコタイ・
ハン国

チャガタイ・ 元
ハン国

イル・ハン国

インドではヒンドゥー教
が大衆の支持を得、仏教
は衰退するが、東アジア
には広まっていく

界地図のジオラマ展示があり、宇宙からの
衛星写真のリアルな映像もある、といった
ツッコミが入りそうです。今さら一筆描き
の二次元平面（にじげんへいめん）の地図など、必要ないという
わけです。

　しかし、これらのテクノロジーの成果も、
こと歴史のダイナミズムを学ぶものとして

は、不向きであると私には思えます。リア
ルなジオラマは、リアルなゆえに無駄（むだ）な情
報が多く、衛星写真にしても、世界の全体
像を把握（はあく）するには小さすぎるのです。

　我が国には世界に誇（ほこ）る独創的（どくそうてき）な科学者と
して岡潔（おかきよし）（1901年~1978年）という数学
者がいました。岡潔は生前（せいぜん）こんなことを言

い残しています。

「宇宙は多くの謎に包まれた多次元構造になっているけれども、それは誰にでもわかる二次元(平面)や三次元(立体)の水準で語られ説明されなければならない」

複雑なものこそ、単純な構造に置き換えて表現する必要があると、彼はいうのです。私が描いた最も単純な地図も同様です。この地図は地理の教科書でよく使われる「メルカトル図法」で描かれています。ゲラドゥス・メルカトル(1512年~1594年)はブラジルの地理学者でしたが、彼は球体表面の複雑な構造を、二次元の平面地図に書き換えたのです。この地図の出現が羅針盤の発達と結びつき、大航海時代の船乗りたちを大海原へと導きました。

読者の皆さんは、これから広大なユーラシア大陸に生まれたインド文明と中国文明、つまりヒンドゥー教や仏教、道教、儒教の

世界へ乗り出すのですが、どうか、自分のノートにも一筆書きの地図を描き、本誌の内容を描きこみながら読み進めてみてください。

インドの宗教文化の重層性

まず、インドの古代都市ベナレスと、中国の同じ古代都市長安に注目してほしいのです。なぜなら、ベナレスはインド文明を象徴する心臓部、対して長安もまた中国文明の展開には欠かすことができない関所であり、東西文化交流の要衝だからです。

ベナレスはガンジス川の中流域に位置し、ヒンドゥー教の聖地として栄えました。やがてその近くのブダガヤの地でブッダが悟りを開き、仏教文明が誕生することになります。今から約2500年前のことです。ついで7世紀になり、ムハンマドがアラビア半島に現れ、イスラム教が出現し、それがインド亜大陸に広がっていく。その影響が浸透していくうちにヒンドゥー教、仏教、

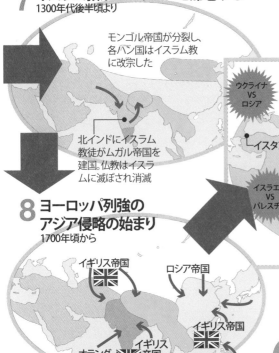

7 イスラム教がユーラシアを席巻する
1300年代後半頃より

モンゴル帝国が分裂し、各ハン国はイスラム教に改宗した

北インドにイスラム教徒がムガル帝国を建国。仏教はイスラムに滅ぼされ消滅

8 ヨーロッパ列強のアジア侵略の始まり
1700年頃から

イギリス帝国
ロシア帝国
イギリス帝国
オランダ
イギリス帝国
スペイン

9 そして現在のユーラシア大陸 注目は中国とインド

宗教弾圧の対象となっている地下のキリスト教徒。バチカンの交渉でどう改善されるか

新興宗教としてのキリスト教の台頭

ウクライナ VS ロシア

イスタンブール

長安(西安)

イスラエル VS パレスチナ

ベナレス

カースト制の最下層の人々の仏教への改宗が進み、その数1億人を超えたと言われている

世界1,2位の人口を持つインドと中国。この人々の宗教動向が世界の宗教状況を大きく変える可能性を持つ

バラモン教　仏教　中国宗教　ヒンドゥー教　イスラム教　キリスト教

イスラム教三者が重層雑居し、独特の混合文化が形成されました。

その上、近代になってからはイギリス帝国による植民地化の政策がこの地にも及び、それまで共存の関係を結んでいたヒンドゥー教とイスラム教が対立を深め、両者は袂を分けて、第二次世界大戦が終結するとインドとパキスタンに分裂し、それぞれ独立しました。この複雑な文明の展開の跡が、ベナレスの都市の形成をみるとよくわかります。

ベナレスは長い間死んだ人を火葬にして遺灰をガンジスに流し供養する聖地として知られていました。訪れるとよくわかりますが、その河岸の中心部にはヒンドゥー教のシヴァ神が祀られ、その廻りにはヒンドゥー教の寺院が建てられ、それを取り巻くようにイスラム教のモスク、その外周部にキリスト教の近代的な諸施設が作られ、それが全体として同心円状の分布をみせているのです。つまり、インド宗教文明の発展のあとを、このベナレスの都市形成が実に象徴的な形で表しているのです。

インド文明が中国へ

さてこの重層的だったインド文明が、やがてヒマラヤ山脈を越えてチベット、中央アジア、さらにはシルクロードを通って中国に伝えられることになります。

こうして中国大陸にもう一つの文化圏というべき道教、仏教、儒教の混融、競合からなる宗教文明が形成されました。その重層性、あるいは共存性はヨーロッパ文明ともインド文明とも異なる、もう一つのアジア的構造とも言えます。そのことを歴史的に証明している都市が、古代都市長安

です。

ここは今日、西安と呼ばれていますが、昔は東西文化交流の十字路であり、中国文明の要の位置にありました。都市の中心には大雁塔という高いランドマークがあり、あの玄奘三蔵がインドへの旅をして持ち帰った経典や仏具、文物が収められた一大宝庫でした。当時の中国ではすでに道教（老子・荘子）や儒教（孔子）の教えが栄え、そこへ新参の仏教が伝わり、禅などの新風が豊かに花開いたのです。この思想的な影響は中国の近代化にとっても大きな影響を及ぼし続けました。

毛沢東による共産主義革命がそれです。これは西欧型社会主義革命（フランス革命やロシア革命）とは多少とも性格を異にして、土着の老荘思想との融合の跡も見えます。のちの毛沢東による文化大革命などはその一例ということができるでしょう。

西の端では戦乱が

最後にもう一つ注目してほしいことがあります。さきの長安という古代都市のランドマーク大雁塔からはるか西方に視野を伸ばしましょう。それは地図上の北緯40度の線にそった視線です。その先には敦煌の千仏洞があり、ついでタクラマカン砂漠、そしてイスタンブールへと繋がります。

この北緯40度の線の先にあるのは、戦乱とテロによる破壊と国際的紛争の発火点です。イスタンブールの真上に「ウクライナ」、真下に「イスラエル・パレスチナ」という火宅無常の戦場があるのです。

一筆書きの地図の中に展開する世界、そこには私たちが生きる世界の姿が一目瞭然に示されてもいるのです。

Part 1
インドの古代宗教
ヴェーダの時代

①

古代インドの宇宙観
古代インド世界の中心
スメール山と宇宙の誕生

◎ インド世界の誕生

歴史上のインドは、現在のインドのほかにインダス川の流れるパキスタン、ガンジス川下流のベンガル地方にあるバングラデシュを含む広大な地域で、「インド亜大陸」

紀元前2000年頃から、中央アジアの遊牧民アーリア人がインドの北西部に移住してきた

スラブ人
インド・ヨーロッパ語族
ラテン人
ソグド人
イラン人
カイバル峠
アフガニスタン
インダス文明の地域
インド・アーリア人
インド

アーリア人がインドに定住し、インド文明の担い手となる

その人々はインド・アーリア人と呼ばれ、狩猟と牧畜を生業とし、馬術に優れて青銅器の武器を使う強力な戦闘集団でもあった

インド・アーリア人は自然の神々を祀り、その神々への讃歌、儀式、哲学を「ヴェーダ(ve-da)」と呼ばれる聖典にまとめた

紀元前4500~3500年前にインダス文明が栄えていた

ハラッパー
モヘンジョ＝ダロ
インダス川
ドーラヴィーラ
ガンジス川
ロータル
アラビア海
ベンガル湾

この民族の言葉インド・アーリア語が、現在のインド語の祖

発掘された印章。この文字とドラビダ語の類似性が指摘されている

ヴェーダの神々への信仰はバラモン教と呼ばれ、その聖典は古代インド語のサンスクリットで「知る」という意味。バラモンとはこの宗教を祭祀する最上級の司祭のこと

ヴェーダには4種類の聖典がある

『リグ・ヴェーダ』
神々への韻文讃歌集

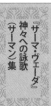

『サーマ・ヴェーダ』
神々への詠歌（サーマン）集

『ヤジュル・ヴェーダ』
神々への呼びかけなど

『アタルヴァ・ヴェーダ』
神々への呪文集

紀元前3500年以降、突然この文明は姿を消す。気候変動の旱魃が理由とされているが、この文明の文字の解読が困難で、今も謎として残されている

インダス文明の担い手は、現在ドラビダと呼ばれる古代イラン系の人々と考えられている

ヴェーダはその詩句の中で、極めて独特な宇宙創造神話を語っている

ともよばれます。

この地域は古代のインダス文明が生まれたところです。そこに新たに定住したのは馬と武具のあつかいに優れたアーリア人とよばれる人々です。

かれらは神々を讃える神話詩『リグ・ヴェーダ』（紀元前13世紀頃）の歌をうたいながら戦闘馬車を駆り、ガンジス川流域にも進出し、先住民族を支配下において、古代のインド世界をつくりあげていきました。

◎ そびえ立つ神々の山

インド亜大陸の北方には、万年の雪をいただくヒマラヤ山脈が連なっています。インダス川もガンジス川も、この山脈に源を発します。人々はヒマラヤ山脈を「スメール」とよび、神々の座として崇めました。『リグ・ヴェーダ』には、無から世界が生じたことが語られていますが、その世界の中心にはスメールが高くそびえます。

ヴェーダが作り出した、インドの最古の宇宙世界にはスメール山がそびえている

1 そのとき（太初において）無もなかりき。有もなかりき。空界もなかりき、その上の天もなかりき

2 何者か発動せし、（中略）深くして測るべからざる水は存在せりや

3 この一切は標識なき水波なりき。（中略）かの唯一物は、熱の力により出生せり

4 最初に意欲はかの唯一物に現ぜり。こは意（思考力）の第一の種子なりき

5 能動的男性力ありき、受動的女性力ありき。本能的女性力は下に、許容力（男性力）は上に

6 この創造（現象界の出現）はいずこより生じ、いずこより（来たれ）。神々はこの（世界の）創造世の後なり

7 この創造はいずこより起こりしや。そは（誰によりて）実行せられたりや、（中略）最高天にありてこの（世界を）監視する者のみ実にこれを知る。あるいは彼もまた知らず（『リグ・ヴェーダ賛歌』辻直四郎訳・岩波文庫より）

ヴェーダの宇宙神話

ヴェーダ神話がインド宇宙を創造
この宇宙が東洋の世界創造の基礎になった

● 須弥山と4つの島

宇宙にそびえるスメールは、中国では漢字で書いて須弥山（しゅみせん）といい、日本に伝わりました。

インド亜大陸は、北方の須弥山（ヒマラヤ山脈）以外の三方を海洋に囲まれていま

す。この地形から、インド亜大陸は須弥山の南方にある大きな島であると考えられました。須弥山の山腹は青い瑠璃（るり）（ラピスラズリ）でできているので、その反射で空が青く見えるのだといいます。

この須弥山の周囲には、東西南北に大きな島があり、四大洲（しだいしゅう）といいます。東方勝身（しょうしん）

このインドの宇宙図は
この後に生まれた宗教に
多大な影響を与えた

月

インドラ神の城

スメール山

塩水の海
砂糖ジュースの海
酒の海
バターの海
ギーの海
ミルクの海
真水の海

**ジャイナ教の考えた
スメール山**

ジャイナ教も世界で最も高い山、スメールが中心にある宇宙を受け継いでいる

**右図の贍部洲が人間の住む場所
ヴェーダの時代から、
人々が認識していた全世界**

この形状からインド亜大陸が想定される。雪山がヒマラヤとすると、その山脈の向こう側に「無熱悩池」と呼ばれる水源があり、4つの川が流れ出ている。ヒマラヤのこちら側には9つの黒い山があり、ここを武力で征服する物語がヴェーダ神話として語られている

オクサス川
香酔山
シータ川
無熱悩池
インダス川
雪山
九黒山
ガンジス川
贍部洲

**ヴェーダの神に従わない
神々の世界**

インドラ神に敵対し戦った神の代表がアスラ。かつては天界に住む善神であったが、インドラがアスラの娘を奪ったことで両者は戦い続けることになった。そのためにアスラは戦闘神として天界を追われた

洲、西方牛貨洲、南方贍部洲、北方倶盧洲です。そのうち南方の贍部洲（閻浮提ともいう）が人間が住む現実のインド世界ですが、その他の方角にも同じような世界があるといい、その全体がひとつの須弥山世界であると考えられました。

◎ 帝釈天と四天王

　帝釈天はインドラという雷神で、アーリア人があがめた神です。アーリア人がインドの諸民族を征服するとともに、インドラは諸民族の神々の上に置かれ、須弥山の頂上に王宮をもつ神々の帝王とされました。帝王インドラは、この世界を守るために、須弥山の四方に神々の軍団を配置しました。ドゥリターシュトゥラ（持国天）を将軍とする東方軍、ビルーパークシャ（広目天）の西方軍、ビルーダカ（増長天）の南方軍、バイシュラバナ（多聞天または毘沙門天）の北方軍です。これら天の神々の将軍を四天王といいます。この帝釈天と四天王のもとに、多くの神々がいました。

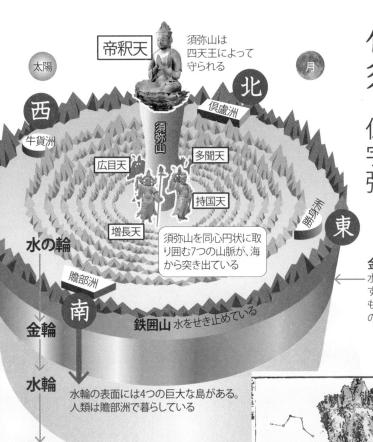

太陽

月

帝釈天

須弥山は四天王によって守られる

西

北

牛貨洲

倶盧洲

須弥山

広目天

多聞天

持国天

勝身洲

増長天

東

須弥山を同心円状に取り囲む7つの山脈が、海から突き出ている

水の輪

贍部洲

南

金輪

鉄囲山　水をせき止めている

水輪

水輪の表面には4つの巨大な島がある。人類は贍部洲で暮らしている

風輪

奈落の底

地獄界

仏教宇宙 須弥山の図

仏教もインドの 宇宙図の影響を 強く受けている

金輪際
水の輪の外壁を守る。人間界の限界を示す。現在私たちが「いかなることがあっても」「今後も絶対に」の意で使う「金輪際」の語源

葛飾北斎も描いた須弥山

ヴェーダの自然の神々

ヴェーダ神話で躍動する
自然の働きから生まれた神々

◎ 原初の神話

どの民族でも、太陽と星々がめぐるのはなぜなのか、雨が降って作物を育ててくれるのは何の力によるのかなど、日本の『古事記』のように、さまざまな物語を伝えています。それが原初の神話です。

原初の神話は民族ごとに、自分たちが誕生したこと、その土地が自分たちのものである理由などを語り、それをもたらしてくれた神を讃えます。また、太陽や月、風と火、雨と作物など、自然の神々を讃えます。

インドには、多くの民族がいて、それぞれに、いわゆる民族宗教の神々を讃え、そ

夜明け
曙の神ウシャス
夜の闇を破る
絶世の美女

ヴェーダ神話の最初に登場する、暁紅の女神。うら若い美女で輝く衣装で暗闇を破って地上に光をもたらす

雷
ヴェーダ
神話界の
大スター
インドラ

太陽
光り輝く男性神
スーリヤ

天と空と地の三界を普く照らす神。人間の善悪の行為の一切を天界から監視する働きも

夜の女神
ラートリー
ウシャスの妹
星を従えて
夜の安全を担う

火
あらゆる
火を司る
アグニ

世界に存在するあらゆる火を管理する神。儀式で燃やされる火によって、人間たちの願いを神に届ける役割も担っている。アグニは3つの頭をもち、そこから炎を燃え立たせている

の神話をとなえる祭りをおこなっていました。そのなかで、「ヴェーダ」とよばれる書物に記されているのは、インドに進入して諸民族を統治するようになったアーリア人の神話で、その最古の書物である『リグ・ヴェーダ』は紀元前13世紀頃に編まれました。「ヴェーダ（Veda）」は英語のウィット（wit）、ウィズダム（wisdom）などと語源が同じで、「知識」を意味します。それは太陽や火など自然の働きを神の名で語る膨大な詩歌群で、自然を理解する知識になりました。また、日本の祝詞のように、神々の祭りでとなえる祭文でもありました。

◉ 雷神インドラの神話

『リグ・ヴェーダ』には数々の神が登場しますが、主役の地位にあるのは雷神インドラ（帝釈天）です。暴風神マルトの神群を従え、日照りをもたらす悪神や、他の民族の神々を打ち破りました。前述したように、雷神インドラは征服者アーリア人の神であったからです。

ヴェーダ神話の主人公的な神だが、その奔放な行動が彼を邪神にまで貶める。インドラが神々のトップに躍り出たのは、宇宙の水を飲み干し地上で旱魃を発生させた蛇・ヴリトラを、手にした電撃の剣・ヴァジュラで刺し殺したため。男らしい戦いの神だが、時々ソーマ酒に酔い失敗もする

大好き

酒　神聖な酔いをもたらすソーマの神

ソーマ酒は、飲む者に不死と神性をもたらすと崇められる。ソーマ神はその擬人化。この強力な酒ソーマの原料について、ヒマラヤに生える植物オウマとの説もある

子分

暴風雨

暴れ者のマルト神群はインドラに従う

美しく武装した同い年の勇者たちの群れ。ルドラを父として、度々インドラに従い邪蛇ヴリトラとの戦いにも参加した

風　原初の人間プルシャの息から生まれたヴァーユ

あるとき、この神は宇宙の中心のスメール山から追放された。その報復に山をつかみ放り投げると、それがスリランカ島になった

子供たち

空　天の運行を管理する神ヴァルナ

ヴェーダ初期には重要な神だった。彼の指示で宇宙が運行し、道徳や宗教秩序が保たれた

嵐　強烈無双の破壊神ルドラ

ヴェーダ神話ではマイナーな存在だが、その後のインドのヒンドゥー教ではシヴァ神に変身する。暴風雨神群マルトの父でもある

バラモン教とカースト制度

ヴェーダの神を祀るバラモン教
その教義が身分制度（カースト）を生

◯ 現代まで続く４つの身分

ヴェーダの神々を祀る宗教をバラモン教といいますが、バラモンとは祭りを行う司祭たちのことです。バラモンはヴェーダ聖典を朗詠し、祭祀を独占的につかさどる階層になりました。かれらは出家の修行者ではなく結婚してバラモンの家系を受け継ぎました。

ヴェーダ聖典は、のちに「サンスクリット（清めの言葉）」とよばれる聖言語で語られ、一般の言語とは異なります。バラモンはその聖なる言語を操る者でした。

アーリア人たちはバラモンを人々の最

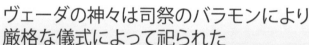

ヴェーダの神々は司祭のバラモンにより
厳格な儀式によって祀られた

スーリヤ　　　アグニ　　　ヴァルナ

ルドラ　　インドラ

人々の願い
その儀式により、
主祭神は
その都度
変わった

ヴェーダに歌われる原人プルシャ

ヴェーダは巨大なプルシャ（原人）から宇宙が生まれたと説く。世界の多くの民族が持つ巨人解体神話を、バラモンは自らの祭祀の権威へと利用している

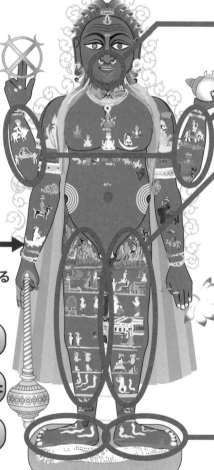

バラモンの儀式は、聖なる火壇に犠牲獣を捧げ、その火によって人々の願いごとを神に届ける

そして、自らを最高位とする
神話も生み出した

神聖な言葉を独占した

神々への祈りを独占した

神聖な儀式を独占した

バラモンしか儀式を行えない

上位におき、武力をもつ王族・戦士（クシャトリア）は第二順位の階層となりました。神々の権威と武力、すなわちバラモンとクシャトリアをもって人々を支配する社会をつくりあげ、人々を4つのヴァルナ（家系・血統）、すなわち四姓に大別し、先住の被征服民族は下位のヴァルナに置きました。

4つのヴァルナによる身分制度は、さらにジャーティ（生まれ）によって細分され、ジャーティによって職業が固定されるなどの身分制度が現代のインド社会でも根強く残っています。それはインドの民族宗教として新たに発展したヒンドゥー教によって人類の始祖とされるマヌが定めた掟「マヌ法典」（紀元前2世紀～後2世紀に成立）においても、はっきりと4つのヴァルナが規定されていることが今も社会の根幹に置かれているためです。

なお、ヴァルナをカーストともいいますが、それは15世紀以後にインドに進出したポルトガルの言語で家柄を意味する「カスタ」から生まれた言葉です。

神々がプルシャを解体すると、その中から世界の様々なものが生まれ、人間にはヴァルナという身分制度も生まれた

> プルシャの口から**バラモン**が生まれた
> 司祭者であり、最も神聖な階級

> 両腕からは**クシャトリア**が生まれた
> 国家の政治と軍事に関わる、王族、戦士

> **ヴァイシャ**
> 商業・農業・製造業などに従事する平民

> **シュードラ**
> 隷属民、被征服民や被差別民など

ヴァルナとは色のこと。肌の白いアーリア人が、黒いインドの先住民を差別し最下層においたと考えられている

アーリア人　　インド先住民

先住民は南に追われ、現在でも固有の生活文化をもつ人々もいる

この身分制度の背後には、ヴェーダの輪廻転生の思想がある

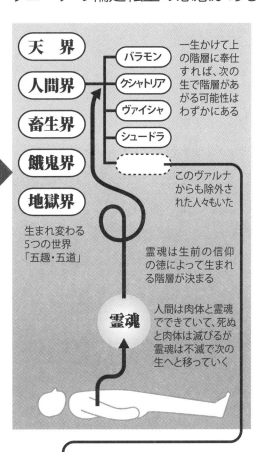

天界／人間界／畜生界／餓鬼界／地獄界

生まれ変わる5つの世界「五趣・五道」

バラモン／クシャトリア／ヴァイシャ／シュードラ

一生かけて上の階層に奉仕すれば、次の生で階層があがる可能性はわずかにある

このヴァルナからも除外された人々もいた

霊魂は生前の信仰の徳によって生まれる階層が決まる

霊魂

人間は肉体と霊魂でできていて、死ぬと肉体は滅びるが霊魂は不滅で次の生へ移っていく

不可触民(アチュート)
この厳しい身分制度から除外された人々もいる。インド世界の最下層に位置づけられて、不可触民と呼ばれる。死の穢れに関わる仕事に従事する人々が多く、この差別は現在も続いている

アーリア人はガンジス川流域に進出
戦乱と王国の勃興の中、新しい思想

◯ インド大平原の国々

西部のインダス方面からインド亜大陸に進出したアーリア人はインド中北部のガンジス川中流域に勢力を広げました。そこはインド大平原とよばれる地域で、豊かな農業地帯になり、その豊かさを背景に多く

の国が生まれました。国々はそれぞれに王をいただいて互いに戦い、仏教の開祖仏陀（釈迦）が生きた紀元前5世紀頃にはマガダ、コーサラ、ヴァッジ、マッラ、クルなど16の大国が分立しました。

バラモンは農業の神や戦いの神の祭りをつかさどる社会の上位階層にありましたが、

紀元前1000年頃から、アーリア人はインドの中心に侵入し戦乱の時代を迎える

紀元前500年頃からアーリア人社会に大きな構造変化が起きた

アーリア人の勢力圏

ガンジス川
土着の王国
デカン高原

叙事詩『マハーバーラタ』はこの侵略戦争の物語でもある

『マハーバーラタ』には、アヴァンティ王国の人々は、非常に強力な人々と記されている

紀元前1500年頃
アーリア人の移入

インダス川

紀元前1000年頃
ガンジス川流域に侵入

チベット高原

ヒマラヤ山脈

コーサラ国

パータリプトラ
ガンジス川

マガダ国

アンガ国

アヴァンティ王国

デカン高原

紀元前500年頃、アヴァンティ王国はマガダ国と争い、プラディオタ王はマガダ王に敗れた

ガンジスの水で、豊かな水田ができた。豊かな穀倉地帯で、商業・流通が活発化する。その結果安定した政権の王国が誕生し、王国はインド古代帝国へと発展する

この時代の王朝の興亡記

戦乱を勝ち抜き
マガダ国が台頭する

マガダ国

紀元前600年頃から拡大する。仏陀の故国もマガダ国に滅ぼされる

王国の首都が
パータリプトラ（現パトナ）に

パトナ市は、長くインドの首都であり続けた

**マウリア朝が
インド全体を支配する
巨大帝国の誕生**

マウリア朝

新しい帝国
マウリア朝の誕生
（紀元前300年頃から）

実権は王と戦士たちの階層であるクシャトリアがにぎりました。

◉アショーカ王のインド統一

諸王国が分立するインドのほぼ全域を初めて統一したのはマガダ国を治めたマウリヤ王朝第3代のアショーカ王（紀元前268年頃〜前232年頃）でした。

アショーカ王はその軍勢で国々を征服していきました。そのなかで在位9年目に起こったカリンガ戦争は凄惨な戦いとして知られています。カリンガ国はインドの東海岸地方にあった強大な国でした。アショーカ王の遠征軍は時に敗退する苦戦の末にカリンガ国を征服しましたが、15万人も捕虜にし、そのうちの10万人を殺害。さらに、その数倍もの人々が戦禍で殺されました。

王たちの戦いは『マハーバーラタ』という古代の叙事詩で語られています。今も人気の物語ですが、アショーカ王はカリンガ戦争後、戦いの悲惨なことを悟り、仏教の法による統治を天下に宣言しました。

カーストの頂点の
バラモンの権威が揺らいだ

- バラモン
- クシャトリア
- ヴァイシャ
- シュードラ
- 不可触民(アチュート)

クシャトリア階級の台頭

ヴァイシャ階級の台頭

戦乱を戦い抜いた戦士、その戦争を支える経済力を持った商人が、王国の主人となった

バラモンの儀礼、哲学に規定された宗教・哲学ではなく、より自由な人々が、自由に探究し、解脱を得るための、新しい思想を求めた

この時代が新しい宗教思想を生み出す

その一つが仏教

仏教について詳しくはp20から

その一つがジャイナ教

ジャイナ教について詳しくはp44-45

そしてバラモン達も、自己変革を進め新しい哲学ウパニシャッドを生み出す

詳しくは次のページで

青年チャンドラグプタがマガダ国のダナナンダを滅ぼし、新王朝マウリヤ朝を建てる。西方のギリシャ系の王国を制してインダス川流域も領土に加えた

アショーカ王が仏教を国家宗教に

第3代アショーカ王の代に帝国は最大に。王は戦での殺戮を悔い、仏教に帰依しその教えで国家を統治した

320年、新帝国グプタ朝がパータリプトラに建てられる

この帝国はヒンドゥー教を国教として6世紀まで繁栄する。仏教も保護されるが衰退し始める

ヴェーダの哲学は当時の世界最高の知の集積

ヴェーダの世界にも新しい風が 6つの宗教哲学が花開く

◉ ウパニシャッドの時代

ガンジス川には多くの支流があり、舟運による交易ルートにもなりました。それによって紀元前500年頃には交易都市が発達し、そこを治める王や商工人の力が増してきました。かれら都市住民は新しい宗教と思想を求めました。その動きのなかでヴェーダを新たに解釈して、ウパニシャッド（奥義書）と総称される書物が生まれてきました。そこに記されていることをウパニシャッド哲学ともいいます。

そのなかで紀元前500年頃に仏教やジャイナ教が誕生する以前に編まれたものを

インド哲学の教室

3 ヴェーダンタ学派
不二一元論

ヴェーダ神学の最高の到達点はシャンカラの登場による。個我のアートマンとブラフマンとの合一の神秘を説いた

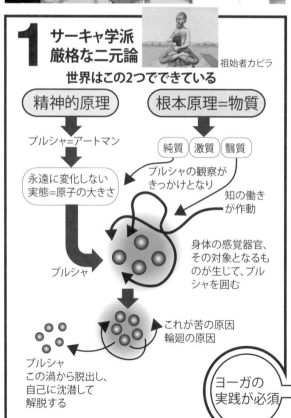

1 サーキャ学派
厳格な二元論
祖始者カピラ

世界はこの2つでできている

精神的原理 　 根本原理＝物質

プルシャ＝アートマン 　 純質 激質 翳質

永遠に変化しない実態＝原子の大きさ

プルシャの観察がきっかけとなり

知の働きが作動

プルシャ

身体の感覚器官、その対象となるものが生じて、プルシャを囲む

これが苦の原因 輪廻の原因

プルシャ この渦から脱出し、自己に沈潜して解脱する

ヨーガの実践が必須

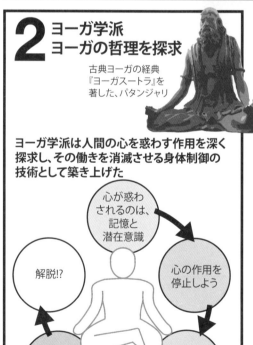

2 ヨーガ学派
ヨーガの哲理を探求

古典ヨーガの経典『ヨーガスートラ』を著した、パタンジャリ

ヨーガ学派は人間の心を惑わす作用を深く探求し、その働きを消滅させる身体制御の技術として築き上げた

心が惑わされるのは、記憶と潜在意識

心の作用を停止しよう

解脱!?

そのために、心の作用を研究

身体制御で心をコントロール

古ウパニシャッドといいます。その後、ウパニシャッドはバラモンの聖典であるヴェーダを受け継ぐ形でヒンドゥー教の教義書として編まれ続けました。

⬤ 正統バラモンの六派哲学

紀元前5世紀頃から後3世紀頃に、現在のヒンドゥー教につながる思想家・宗教家が多く現れました。その主要なものが下図の六派哲学です。哲学といってもヴェーダで語られた神々のことや死後の世界のこと

などを含み、宗教的な内容です。

この六派哲学に共通するのは、アートマンとよばれる個々の自我(個我)があって輪廻転生していくこと、それに対して宇宙の誕生から終末に至る森羅万象に働く全体の主体(ブラフマン、漢字では梵)があることです。ブラフマンはけっして汚されることなく清浄なので、ブラフマンとアートマンが一致する梵我一如の境地を求め、輪廻転生する人生のどこかでそこに至ることが人それぞれの究極の目的とされます。

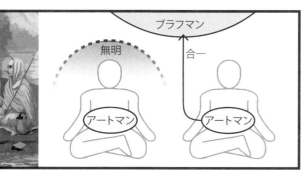

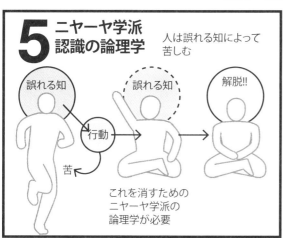

5 ニヤーヤ学派
認識の論理学

人は誤れる知によって苦しむ

誤れる知 → 行動 → 苦

誤れる知 → 解脱!!

これを消すためのニヤーヤ学派の論理学が必要

4 ミーマンサー学派
祭祀の意義を解釈する

ヴェーダから続く祭祀を体系化し、その神学的意義を統一的に解釈した。ヴェーダの言語の絶対性と、その言語の普遍性を同時に証明しようとした

神

祭祀のダイナミズム

祭主

祭祀

余力が生じる果報が訪れる

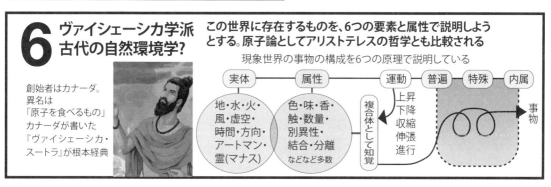

6 ヴァイシェーシカ学派
古代の自然環境学?

創始者はカナーダ。
異名は
「原子を食べるもの」
カナーダが書いた
『ヴァイシェーシカ・スートラ』が根本経典

この世界に存在するものを、6つの要素と属性で説明しようとする。原子論としてアリストテレスの哲学とも比較される

現象世界の事物の構成を6つの原理で説明している

実体 ― 属性 ― 運動 ― 普遍 ― 特殊 ― 内属

地・水・火・風・虚空・時間・方向・アートマン・霊(マナス)

色・味・香・触・数量・別異性・結合・分離などなど多数

複合体として知覚

上昇下降収縮伸張進行

事物

Part 2
仏陀と
インド仏教の誕生

①

世界宗教仏教の誕生

青年シッダールタの覚醒から
世界宗教の仏教が誕生した

◉ 仏陀の生涯

　2500年ほど前に仏教の開祖になった仏陀（ブッダ）は、インド北部にあったシャカ族の王国の王子として生まれました。名はガウタマ・シッダールタといいますが、修行して

1 ルンビニーでシッダールタ誕生

紀元前624年(諸説あり)、シャカ族の王妃マーヤ夫人は、満開の花々に包まれてシッダールタを生み、その7日後に亡くなった

2 王子は生きることの苦しみを知る

王宮で暮らす王子は城の外で、人間の苦の現実を見て、その姿を嫌悪する。王子はそんな自分を深く憂いた

誕生から
仏陀80年の生涯
その駆け足劇場

デリー ●
サンカーシャ
アグラ ●
ヤムナー川
ヒンドゥスタン平原
ガンジス川
9サハトマハート
2・3カピラヴァストウ?
(シャカ族の城)
▲エベレスト山
ネパール
1ルンビニー
10クシナガラ
バイシャリ
パータリプトラ
ヴァラナシ
テージャグリハ
6サールナート
7・8ラージャグリハ
4・5ブッダガヤ
ダッカ
コルカタ／カルカッタ ●

その死まで ← ### 10 クシナガラで病に倒れる ← ### 9 コーラーサ国の富豪が仏陀に祇園精舎を寄進

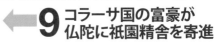

ブッダの最後の食事は、キノコの料理でありそれが毒を持っていたと伝えられる。一説には豚肉の料理であったとも

80歳の仏陀は村人が供養した食事によって、激しい腹痛に襲われ倒れた。弛まぬ修行を弟子たちにさとし、仏陀は涅槃に入った

仏陀はこの祇園精舎（ぎおんしょうじゃ）で雨期を過ごし、説法を続けた

仏陀（真理に目覚めた覚者）になったことから「シャカ・ムニ・ブッダ（シャカ族の聖者であるブッダ）」と讃えられ、漢字圏では釈迦牟尼仏、略して釈迦といいます。

仏陀の生涯は叙事詩や経典に記されて伝えられました。その伝記は漢訳経典では「天」とよばれる古代インドの神々とともに語られています。

仏陀の生涯の大きなポイントは、ルンビニーでの生誕のほかに、ブッダガヤで悟りを得た成道、サールナートで最初の説法をしたこと、クシナガラで入滅したことの4つです。

仏陀の悟りは、ただ覚者だけが知ることなので、仏陀はそれを人々に語ろうとはせず、樹の下で静かに坐していました。そこへバラモンの至高神ブラフマー（梵天）が現れて、仏陀に神々と人々のために法（教え）を説くように要請しました。ここから仏陀の布教が始まります。

3 シッダールタは、ついに城を出た

王子は29歳になったとき、出家修行者となる決意をした。髪を切り妻と子と別れ愛馬カンタカにまたがった

4 シッダールタは森の修行者の群れに加わる

修行者たちは梵我一如の境地を目指し、様々な苦行を行っていた。シッダールタは5人の仲間とともに、自らの体を苛む行に入った

シッダールタは呼吸を制限し、食を断つ苦行に入り、骸骨のようにやせ細ったと伝えられる

シッダールタは確然として気づく。この苦行は悟りへの道ではない

村の娘スジャータから乳粥の供養を受け、シッダールタは蘇る

5 シッダールタ、真理に目覚め、覚者となる

シッダールタは川の岸辺の菩提樹の木陰で禅定に入り、7日後に悟りを得た。覚者仏陀が誕生した

8 仏陀伝道の拠点ラージャグリハ

マガダ国の首都ラージャグリハにそびえる霊鷲山で、仏陀は説法を続けた

7 マガダ国の王、仏陀に帰依する

仏陀は伝道の旅の途次、マガダ国を訪れる。国王のビンビサーラは仏教に帰依し精舎を寄進した

6 仏陀はサールナートで最初の説法をする

仏陀は苦行の林で別れた5人の修行者を訪ね、最初の説法を行った。彼らは深く仏陀に帰依した

仏陀のもとに多くの出家者が集った
仏陀の教えは、なぜ人々を魅了したのだろ

◎ 縁起の法則

　ダルマとはバラモンの聖典ヴェーダの言葉で、教え（真理）のほか、広く自然界の法則を含めて「ダルマ（法）」といいます。

　仏陀は「縁起（関係による生起）」というダルマを説きました。どんなものごとも因

（原因）があり、その因が縁（周囲との関係・条件）によって生じた結果（果）である。その果がまた新たな因となり縁となって、全ては因ー縁ー果の連鎖によって変化し、自我を含めて、固定したものはない。そのことを「無我」といいますが、それはバラモン教でアートマン（個我）が不滅であるとされ

仏陀は易しい言葉で
正しい修行を行えば
人はこの世界の法を知り
等しく悟ることが
できると説いた

不殺生
生き物を殺さない

不飲酒
お酒を飲まない

中道と瞑想
修行の方法

四諦八正道

十二因縁の法

この世界の仕組み
「ダルマ」

清浄であること

バラモン教は神に犠牲を捧げ
人々の願いを神に届けていた

血の犠牲

酩酊
ソーマ酒

苦行が尊ばれる

バラモン教では、
宗教の哲理について
一般信徒は、まったく
触れることはできない

22

たのとは明らかに異なります。この因—縁—果の連鎖を12項目に分けて十二因縁の法が説かれました。

この縁起の法則を基本として仏陀が最初に説いたのは、四諦八正道でした。「諦」は「明らかにする」という意味で、次の四項目です。

①苦諦＝生には苦がある。②集諦＝全てのことは原因があって生じる。苦の原因は煩悩（心の迷い、欲望）である。③滅諦＝煩悩を消せば苦も滅する。全ては変化するので、消せない苦はない。④道諦＝正見・正思など8つの道を修行すれば涅槃（ニルヴァーナ、煩悩を消した静かな境地）、すなわち、悟りに達せられる。

仏陀は怒りや悩みなどの煩悩を完全に滅ぼした者とされます。

しかし、普通の人はなかなか煩悩を消すことができません。そこで教団に加わって戒律を受け、仏陀に祈りをささげて心身の浄化を祈りました。戒律の項目はさまざまですが、その基本は不殺生です。

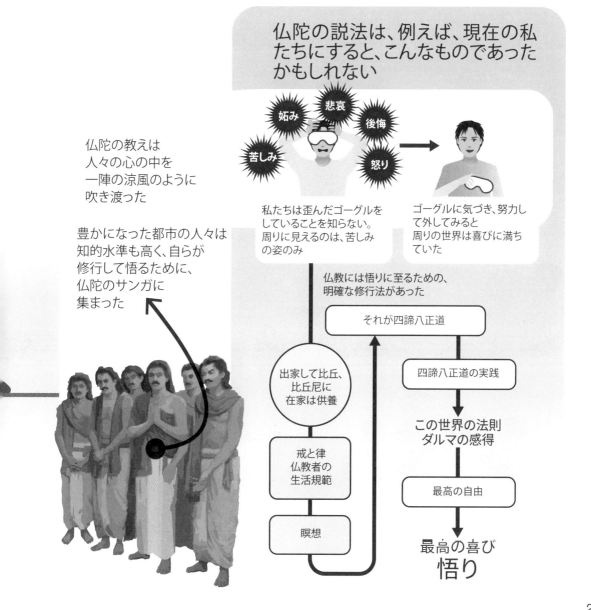

仏陀の説法は、例えば、現在の私たちにすると、こんなものであったかもしれない

妬み　悲哀　後悔　苦しみ　怒り

私たちは歪んだゴーグルをしていることを知らない。周りに見えるのは、苦しみの姿のみ

ゴーグルに気づき、努力して外してみると周りの世界は喜びに満ちていた

仏陀の教えは人々の心の中を一陣の涼風のように吹き渡った

豊かになった都市の人々は知的水準も高く、自らが修行して悟るために、仏陀のサンガに集まった

仏教には悟りに至るための、明確な修行法があった

それが四諦八正道

四諦八正道の実践

この世界の法則 ダルマの感得

最高の自由

出家して比丘、比丘尼に 在家は供養

戒と律 仏教者の生活規範

瞑想

最高の喜び 悟り

仏陀の死とストゥーパ

仏陀の死後、その遺骨を納めたストゥーパが人々の祈りの対象になった

● ストゥーパの建立

インドの諸宗教の中で、仏教の大きな特色はストゥーパがつくられたことです。それは仏陀の遺骨を納めた塚にはじまるものですが、ヒンドゥー教では故人の墓をつくりません。魂の転生をさまたげるからだ

といいます。仏陀の時代のバラモン教でも墓はつくらなかったようです。

仏陀の入滅のようすを伝える涅槃経（中村元訳『ブッダ最後の旅』岩波文庫）によれば、ストゥーパの建立は仏陀が指示したことでした。仏陀最後の旅で弟子のアーナンダが「修行完成者（ブッダ）のご遺体をどの

仏陀は臨終に際して、弟子たちに自らの葬式と墓所について遺言をしたと、仏典は伝えている

「世界を支配する帝王（輪転聖王）の遺体を処理するようなやり方で、修行完成者の遺体も処理すべきである」

ご遺体を荼毘に付し、ご遺骨をお墓に納め、盛大なお葬式を行いましょう

お墓＝ストゥーパがつくられた

仏陀の遺骨は8等分され、その遺骨を納めるお墓が各地につくられた。その遺骨はさらに分けられ、仏教国に多くのストゥーパがつくられることになる

仏陀のお葬式には、クシナガラの町中から花やお香、そして楽隊が集められ、7日間もの間、華やかで盛大な葬式が営まれた

盛大なお葬式が行われた

ように処理したらよいのでしょうか」と問うたとき、仏陀は語りました。

「アーナンダよ。世界を支配する帝王の遺体を処理するのと同じように、修行完成者の遺体を処理すべきである。四つ辻に、修行完成者のストゥーパをつくるべきである。誰であろうと、そこに花輪または香料または顔料をささげて礼拝し、また心を浄らかに信ずる人々には、長いあいだ利益と幸せとが起るであろう」

「世界を支配する帝王」とは、転輪聖王と

いう伝説の理想の皇帝のことです。「修行完成者」である仏陀は、転輪聖土と同じように世に平安をもたらすと考えられるようになりました。また、「四つ辻」は、四方の道が交わる王都の中央のことで、世界の中心を意味します。

ストゥーパは、やがて仏陀そのものとして礼拝されるようになり、各地に建てられた仏教寺院の中心にストゥーパが建立されました。それが日本の五重塔など全ての仏塔のはじまりです。

人々は仏陀のお墓を信仰の対象とした

仏陀の遺骨

紀元前3世紀、アショーカ王はサーンチーに、巨大な仏教施設を建設しストゥーパも建立された。そこに施されたレリーフには、当時の人々がストゥーパの前で盛大なお祭りを行うようすが刻まれている

マケドニア

エジプト

パルティア

マウリア朝

アショーカ王は伝道師を世界各地に送り、仏教の布教に努めた

スリランカに伝道団を派遣

アジアに仏教が広まる

アショーカ王は仏教を帝国の国教とした

アショーカ・ピラを建立
アショーカ王は仏教のダルマ(法)による政治を志し、その理念を刻んだ石柱を帝国の各地に建てた

アショーカ・ストゥーパを各地に建立
仏陀の遺骨を納めたストゥーパを、王は国内に多数建立したと伝えられている

ストゥーパはアジアの仏教世界にも広まった

タイ　　　ビルマ　　　ブータン　　　ネパール

仏陀の死後に起こったこと

仏陀の死後すぐに、その教えを経典にまとめる編纂作業が始まった

◉ 仏典結集

仏陀（ブッダ）は人それぞれの性格や境遇（きょうぐう）に合わせて教えを説きました。守るべき規則も人それぞれに指示しました。そのため、仏陀の入滅後（にゅうめつご）、弟子（でし）たちは集まって、それぞれが聞いた教えを話しあう会合（かいごう）を開きました。

それを仏典結集（ぶってんけつじゅう）といいます。

仏典といっても書物に記（しる）すのでなく、唱（とな）えて記憶する方法がとられました。すでに文字はあったのに記されなかったのは、尊（とうと）い教えは口で唱えるものだと考えられたのでしょう。今でも表彰状（ひょうしょうじょう）などは読み上げて渡されるのと同じです。経典（きょうてん）も紀元前1

1 生前の仏陀は、相手の理解力に合わせて、様々な説法をしていた

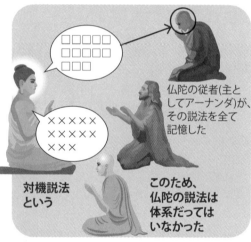

□□□□□□
□□□□□□
□□□

××××××
××××××
×××

仏陀の従者(主としてアーナンダ)が、その説法を全て記憶した

対機説法
という

このため、仏陀の説法は体系だってはいなかった

2 仏陀の死後、説法を正確に記憶することが必須となった

私が死んだら記憶もなくなる

その記憶もバラバラだ

これはまずい

当時はまだ、文字による記録は取られていなかった。教団には経典を記憶する専門の出家者がいた。その記憶が修行者の経典となった

みんなの記憶を集めて、
正しい経典を作ろう

4 このとき編纂された経典は、現在2つの言語で残されている

パーリー語訳仏典
当時のインド南部の庶民の言葉パーリー語に訳され、スリランカから東南アジアへと伝播

漢訳仏典
漢訳「阿含経」としてインド北部からネパール、チベット、中国に伝わっている

3 アーナンダが自分の記憶を提起し、参集した出家者が検討する。そこで認められたものが正式な経典となった

私はこのように聞きました

＝如是我聞

このフレーズが、以降仏典の慣用句となる

いいだろ

いや、一か所違うな

仏教経典の第一次結集
500人の長老出家者が集まり、正しい経典作りの大会を開いた
場所はマガダ国のラージャグリハ

世紀頃から文字で書かれるようになりましたが、その後も読誦(声に出して読むこと)が重要で、仏前で唱える「お経」になりました。

○ 上座部と大衆部

仏典結集で特に重要なテーマは戒律でした。学校に校則があるように、どんな人間集団にもそれぞれに規則や掟があり、その集団を成り立たせています。サンガとよばれた仏教教団の規則と心得が戒律です。その戒律は仏典結集をへても統一されること

はなく、仏陀の滅後100年くらいのときから、教団は考え方の異なる多くの派(部派)に分かれました。大きく分ければ上座部と大衆部になります。

上座部は戒律を厳密に考える立場です。それに対して大衆部は戒律をゆるやかに考える立場でした。サンガ(仏教教団)には厳しい修行に生きる出家修行者もいれば、普通の生活をしながら仏教を心のよりどころとする在家の信徒もいます。そのどちらを重視するかで考え方が異なります。

5 仏教の出家修行者たちの共同体=サンガがインド各地に生まれ、在家信徒の寄進による僧院も各地につくられた

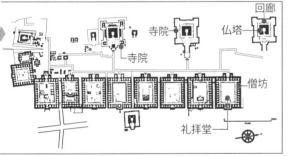

図はナーランダの僧院の見取り図。
仏塔、寺院の周りを多くの僧坊が四角く囲む壮大な施設となっている

サンガには修行者が守るべき厳しい戒律があった

出家修行者たちは、サンガと呼ばれる共同のコミュニティを組織した。仏陀在世の時代から、サンガには修行者が守るべき厳格な戒と律という規則があった。サンガがインド各地に分散し、独自の活動が続くとその戒と律が土地の生活習慣により変化し始める

6 仏陀滅後100年、ある地方のサンガが、既存の戒と律に異議を申し立てた

仏教経典の第二次結集
戒律への異議申し立ての是非を問うために、700人の長老がヴァイシャーリーに結集し、討論を行った

7 仏教教団が大きく2つに分裂する。これを根本分裂という

上座部

この結集では上座に座っていたので、これ以降「上座部」と呼ばれ、このセクトは上座部仏教とよばれる

大衆部

時代の要請に合わせて変化しようとするセクト。大衆部と呼ばれる。このセクトが後に、大乗仏教教団となることはなかった

No
保守的多数派

Yes
ごく少数派

もっとも鋭い対立は
出家者は在家から金銭の布施を
受け取っていいか?

異議申し立ては、主として10個の戒律について、例えば、明日のために塩をためておいていいか?
正午すぎても、食事をしてもいいか?
など、出家者の日常生活に関したこと

大乗仏教が誕生した

悟りの門は在俗の信徒にも開かれ
大乗仏教が誕生した

◎ 上座部の広まり

アショーカ王（紀元前268年頃〜前232年頃）による仏教の国教化以後、仏教寺院がインドの各地に数多く建立されました。その遺跡の調査によると、その全ては上座部系の部派の寺院でした。

上座部はテーラヴァーダ（長老の教え）といい、教団の上座に坐す僧を尊重する仏教です。それは今のスリランカやタイなどの南方に広まり、人々は出家修行の僧に供物をささげることで功徳（幸いの元になる善）を積み、現世と来世の幸福を祈ります。上座部の寺院には多くの人が参拝し、

根本分裂の後も
上座部の教団が主流だったが
新しい仏教の萌芽が生まれ出していた

私の死後は、法を頼りに修行に励め

それは、新しい
仏陀世界の誕生

悟った修行者は
阿羅漢になる

仏陀の教えを、
正確に伝え、修行するのが
私たちの務めだ

修行者の悟りの
到達点である仏陀から

歴史上の仏陀

主として　説一切有部の出家僧が担った

出家信者

布施

在家は出家に供養して徳を積む

在家信者

サンガは在家信者によって支えられた

説一切有部	法上部	賢冑部
	正量部	密林山住部
	化地部	宝蔵部
雪山部	飲光部	経量部

根本分裂以降、上座部はいくつかに
再分裂していた

仏教とヒンドゥー教の勢力争い

一時低迷していたバラモン教は
インドの農村部の土着宗教を取り込み
ヒンドゥー教へと変貌する

大衆的な仏教となっています。しかし、悟りという究極の平安に至るには、出家して修行しなければならないとされています。

大乗仏教の誕生

古代インドの寺院遺跡には、王や商人などの寄進者の名が刻まれています。その中には女性の名もあり、村の農民が共同で寄進したことも記されています。そうした人々が奉納した小型のストゥーパ（奉献塔）も数多く出土しています。そして、悟りの門は出家者だけでなく、一般の信徒にも開かれていると主張する仏教が現れました。それをマハーヤーナ（悟りに至る大きな乗りもの）、すなわち大乗仏教といいます。

紀元1世紀頃には、般若経、法華経、浄土経典など、大乗仏教の経典が編まれ始め、仏国土（仏の国）が説かれます。地上に多くの国があるのと同様に、仏の国も数多くあり、それぞれに仏がいる。この世は釈迦如来の姿婆国土であり、西方には阿弥陀如来の極楽国土があるといいます。

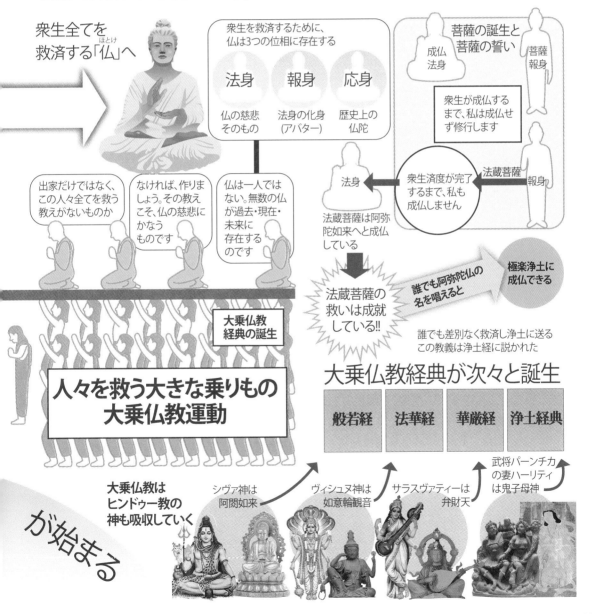

衆生全てを救済する「仏」へ

衆生を救済するために、仏は3つの位相に存在する

法身	報身	応身
仏の慈悲そのもの	法身の化身（アバター）	歴史上の仏陀

出家だけではなく、この人々全てを救う教えがないものか

なければ、作りましょう。その教えこそ、仏の慈悲にかなうものです

仏は一人ではない。無数の仏が過去・現在・未来に存在するのです

大乗仏教経典の誕生

人々を救う大きな乗りもの
大乗仏教運動

が始まる

菩薩の誕生と菩薩の誓い

成仏　法身　菩薩　報身

衆生が成仏するまで、私は成仏せず修行します

衆生済度が完了するまで、私も成仏しません

法身　法蔵菩薩　報身

法蔵菩薩は阿弥陀如来へと成仏している

法蔵菩薩の救いは成就している!!

誰でも阿弥陀仏の名を唱えると

極楽浄土に成仏できる

誰でも差別なく救済し浄土に送るこの教義は浄土経に説かれた

大乗仏教経典が次々と誕生

般若経	法華経	華厳経	浄土経典

大乗仏教はヒンドゥー教の神も吸収していく

シヴァ神は阿閦如来

ヴィシュヌ神は如意輪観音

サラスヴァティーは弁財天

武将パーンチカの妻ハーリティは鬼子母神

大乗仏教の密教化

インドの大乗仏教の密教化は
ヒンドゥー教との勢力争いの結果

◎ 密教の時代へ

　大乗仏教では、全ては縁起の法に従って変化し、固定した実体はないという「空」の瞑想を通して、諸仏の根源は、姿形のない光のようなものだと考えられました。その仏をマハーヴァイローチャナ（摩訶毘盧遮那）、漢訳して大日如来とよびます。

　万物もその光を受けて無限に生起します。季節のめぐりや作物の稔りなどの森羅万象の根源にある神秘な力の働きが大日如来であり、仮に仏像・仏画に表されていても、大日如来自身は姿も形もない。それは如来の秘密である。そこから秘密仏教（密

1 5世紀頃から、仏教に逆風が吹き始めた

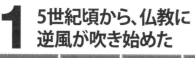

仏教に帰依したのは都市の商人たち。彼らはローマ帝国との交易で富を築き、その富で仏教教団を支えた

ローマ帝国との交易　豊かな商人階級

4 仏教は時代の要求に合わず、衰退する

お坊さま、お助けを

この世界は空です。幻です

そんな話役に立たないぞ

小王国　　小王国

インド国内は戦乱の時代

2 ローマ帝国が消滅　衰退する都市と商人階級

仏教教団を支える人々の力が衰えた

ホーマ儀礼
古代バラモンから続く、火の儀礼　供物を神に届け、施主の願いも届ける

プージャー儀礼
神に供物を捧げ礼拝する儀式

3 インドの農村を地盤に、ヒンドゥー教勢力が勃興してきた

シヴァ神の象徴であるリンガムを礼拝する

バラモン教は、インド農村の土着の神、呪術、儀礼を取り込みヒンドゥー教として再生を果たした

ヒンドゥー教徒はただ純粋に神に帰依し礼拝する。これをバクティ信仰という

教）が生まれました。7世紀に大日経と金剛頂経が編まれ、本格的な密教の時代を迎えたとされます。この2つの経典にもとづいて金剛界・胎蔵界の両界曼荼羅が描かれ、日本には平安時代初期に空海（真言宗の開祖）が伝えました。空海は三密（身・口・意）の修行によって大日如来と自己が一体となる境地を「即身成仏」としました。それは出家・在家を問いません。そのため仏像・仏画の大日如来は髪を伸ばし、身に飾りを付けた俗人の姿で表されています。

◉ 祈禱の発展

　曼荼羅には、如来や菩薩の周囲に多くの神々の姿が描かれています。それらはバラモン教・ヒンドゥー教の神々が仏教に取り入れられたものです。密教へと発展した時期は、バラモン教からヒンドゥー教が発展した時期でもあり、神々の祭りと祈禱が多様化して発展しました。密教でも祈禱が盛んになりましたが、それはヒンドゥー教に飲み込まれていくことにもなりました。

5 仏教再興のために、ヒンドゥー教の秘儀を取り込め!!

呪術　呪文　儀式　土着の神々

6 この身のままを、そのまま成仏させる即身成仏は大乗仏教の究極か

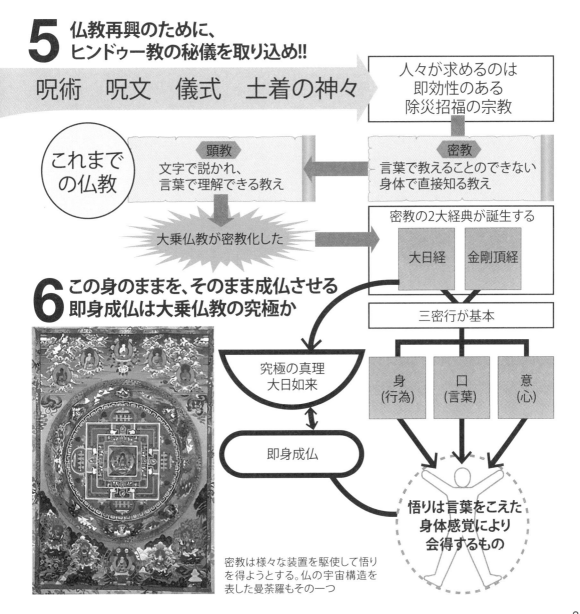

密教は様々な装置を駆使して悟りを得ようとする。仏の宇宙構造を表した曼荼羅もその一つ

人々が求めるのは即効性のある除災招福の宗教

これまでの仏教

顕教
文字で説かれ、言葉で理解できる教え

密教
言葉で教えることのできない身体で直接知る教え

大乗仏教が密教化した

密教の2大経典が誕生する

大日経　金剛頂経

三密行が基本

究極の真理 大日如来

即身成仏

身（行為）　口（言葉）　意（心）

悟りは言葉をこえた身体感覚により会得するもの

タントラ仏教の誕生

インド仏教最後の光芒は
人の欲望を肯定するタントラ仏教

● タントラと後期密教

日本の田の神のように、どの民族でも地母神とよばれる女性神が多産・豊穣をもたらす神としてまつられてきました。インドのヒンドゥー教では、大神シヴァの妻をまつり、シャクティ（性力）を生成の源泉とする宗派が生まれ、タントラとよばれる経典群を生み出しました。その教えをタントリズムといいます。性をはじめとする生命エネルギーを引き出すことを説きます。

身体にはチャクラというツボのようなポイントがあり、ヨーガなどの行によって、そのエネルギーを覚醒させ、神々の力と結

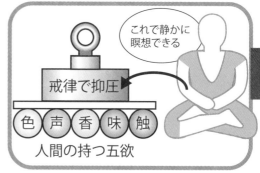

ヒンドゥー教のタントラ図。人間の生命エネルギーを制御する、身体の部位(チャクラ)が示されている

タントラは 人間が持つ
普遍的な生命エネルギーを
解脱のために利用する

タントラがいつから始まったかは、わかっていない。タントラが宗教教義として形を整える前、その原型は広くインドの民衆の中にあった、生命の増殖と繁栄を願う民間習俗であったと考えられている。その生命を生み出し、成長させるエネルギーを、宗教的真理の獲得・解脱に活用するために、その身体制御、瞑想法が考えられ、その理論と実践がタントラと呼ばれる

それ以前の宗教は、人々の欲望を否定した

これで静かに
瞑想できる

戒律で抑圧

| 色 | 声 | 香 | 味 | 触 |

人間の持つ五欲

インドの各宗教とタントラとの関係

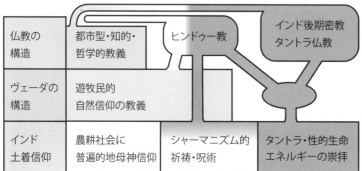

仏教の構造	都市型・知的・哲学的教義	ヒンドゥー教	インド後期密教 タントラ仏教
ヴェーダの構造	遊牧民的 自然信仰の教義		
インド土着信仰	農耕社会に普遍的地母神信仰	シャーマニズム的祈祷・呪術	タントラ・性的生命エネルギーの崇拝

ヒンドゥー教によって描かれた曼荼羅図。抽象化された真理の周りを神々が取り囲んでいる

びつけることができるといいます。

仏教でもタントリズムを8世紀頃から取り入れました。それを後期密教ともタントラ仏教ともいいます。

◉無上瑜伽タントラ

後期密教では「秘密集会タントラ」「幻化網タントラ」など、「無上瑜伽タントラ」と総称される経典群が誕生しました。

そこでも、悟りの母としての仏母などの女性が重視されますが、いっぽうでは大日如来系の男性を中心とする教えは強く残りました。そのなかで、男女の合体を至上のものとする「時輪タントラ（カーラチャクラ）」が説かれます。

◉インドからチベットへ

インドでの仏教はヒンドゥー教との融合が進んだほか、12世紀にはイスラム教徒から攻撃され、衰退しました。しかし、後期密教はチベットにうつり、独特な寺院と多彩な曼荼羅などを伝えています。

仏教もタントラを自らの中に取り込んだ

仏教も人間がもつ欲望を渇愛と言い、それが苦の源であると説いた。修行者にとって欲望は滅却しなくてはならないものだった。しかし、タントラは、その真逆のことを言う

欲望を排除しないその生命力を活用して解脱を目指す

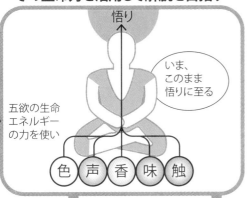

悟り

いま、このまま悟りに至る

五欲の生命エネルギーの力を使い

色　声　香　味　触

ヴィクラマシー僧院がタントラ仏教研究の聖地に

当時インド最大の大学でもある。教師100名、1000名を超える学僧がいた

1193年イスラム教徒の侵略が起こった

ムハンマド・バフティヤー・ハルジーによって寺院は破壊された

インド仏教は、ここに消滅した

多くの仏教僧がチベットへ亡命した

インドからチベットへ亡命した僧侶たちによって、タントラ仏教はチベットで開花した

時輪タントラは、チベットからインドに亡命したダライ・ラマ14世によって、世界に紹介された

この知恵を体系化した経典が秘密集会タントラ

瞑想に用いられる曼荼羅図

インド仏教最後の経典が時輪タントラ

カーラチャクラと呼ばれる曼荼羅図

ダライ・ラマ14世

Part 3
インド民衆の宗教 ヒンドゥー教
①

ヒンドゥー教に 三位一体の神が登場す

◎ ヒンドゥー教の誕生

「ヒンドゥー」はペルシャ語で「川」を意味し、インダス川の流域に生まれたインダス文明が起源です。

ヒンドゥー教は仏陀（ブッダ）が誕生したのと同じ

紀元後600年頃 復活するヒンドゥー教

5000年前のインダス文明から連綿と続く、インドの人々の土着神への信仰。アーリア人の組織された神の宗教と、この土着の神との、その時代ごとの交流と反発と融合。その最後の姿がヒンドゥー教の神々の姿

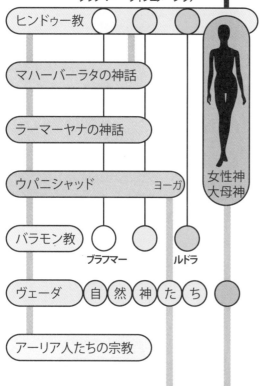

> ヒンドゥー教の 三位一体の神が 宇宙をコントロールする

ヴィシュヌ神
ヴィシュヌ神はこの世界が危機に陥ったとき、様々な化身の姿で現れ、この世界を救済する神として、人々に篤く信仰されている。青い色で、4本の腕をもつ姿で描かれる

時期にバラモン教から発達し始めました。その頃はウパニシャッド哲学によって、人間や季節の変化などの宇宙全体の原理が3つの神の働きとして整理されました。それが下図の三大神です。

● ヒンドゥー教の基本

ヒンドゥー教の基本は次の考え方です。

ブラフマー……宇宙の本質は清浄である。それをブラフマン（梵）といい、神の名ではブラフマー（梵天）といいます。

転生（サンサーラ）……人間にはアートマン（我）という霊魂のようなものがあり、この世のカルマ（行為）、すなわち業の結果として輪廻転生する。

解脱（モークシャ）……アートマンが輪廻転生するうちは苦しみがつきまとう。この世で少しでも善行を積み、来世にはよりよい境遇に生まれ、さらに善行を積んで、輪廻からの解放、すなわち解脱を願います。

ブラフマー
ヴェーダの時代は宇宙の創造神として讃えられたが、時とともに忘れられていた。ヴィシュヌ神とシヴァ神との両雄神の調停役として、再び登場したとも言われている

シヴァ神
宇宙の破壊と再生を司る最高神として祀られている。シヴァは不変絶対のブラフマーであり、根元的なアートマンとして存在し、破壊と再生という両義性の神でもある

創造

維持　破壊

ヒンドゥー教の考える
宇宙のサイクル

ヒンドゥー教の多彩な神々

ヒンドゥー教の神々
その絢爛豪華な面々のご紹介

◯ 多くの神々

ヒンドゥー教には数千ともいわれる神々があります。村の祠にまつられている農業の神も、病気に効き目があるという温泉の神も、大きな樹木に宿るという神も、川や山の神も、みんなヒンドゥー教の神々にな

りました。地方や一族、寺院によってまつる神が異なります。

その点は八百万の神々をまつる日本の神道と似ていますが、インドは大きな国で民族もさまざまです。それぞれにまつる神々がみんなヒンドゥー教の神であるとされることによって、ヒンドゥー教はインド

これだけ覚えておくと神話がぐっと身近になるヒンドゥー教の主要神々

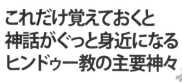

ブラフマー

サラスヴァティー
ブラフマー神の妻であり、芸術・学問の女神。その美しさをいつも見ていたいと、ブラフマーは4つの顔を持ったと言われる。白鳥にまたがり、ヴィーナという楽器を持つ

ヒンドゥーの主要な神々の相関図

夫婦

ヴィシュヌ

夫婦

ラクシュミー
ヴィシュヌ神の妻であり、美と富と豊穣の神として信仰されている。赤い睡蓮の花の上に乗り、その花を持つ。とても移り気な性格で、かつてはインドラの妻でもあった

**第1の化身
マツヤ**
魚の姿をし、大洪水の時人々を救う

**第2の化身
クマール**
亀の姿で、スメール山を支えている

シヴァ

夫婦

パールヴァティー
シヴァ神の妻であり、金色の肌を持つ心優しく美しい女神と言われる。しかし、その一方では、本来は黒色の肌で、インドの土着の女神、ドゥルガーやカーリーの変身とも言われる

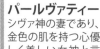

子供

ガネーシャ
シヴァ神とパールヴァティーとの子供。ある神話によるとシヴァ神がガネーシャを生み出し、その美しさに嫉妬したパールヴァティーに首を落とされた。そこに象の首を乗せて現在の姿になった

全体の国民的な宗教になりました。

○ 神々の位置づけ

神々のことは神話の物語で伝えられます。ヒンドゥー教は古代のヴェーダの神話をひきつぎながら新たにさまざまな神話を生みました。たとえば、ブラフマー、ヴィシュヌ、シヴァの三大神の誕生については、こんなふうにいわれます。

はじめ、世界を支配する大神はブラフマーとヴィシュヌでした。そこへ巨大な男根の形をした柱がそびえたちました。ブラフマーは雁に変身して頂上を調べ、ヴィシュヌはイノシシになって柱の底を調べに行ったが、見つけることができなかった。そのとき突然、柱が割れてシヴァが現れたということです。男根は豊かさと強さの象徴で、シヴァのシンボルともなっています。

そのほか、さまざまな神話とともに、下図のような神々の位置づけがなされています。そのなかにはブッダ（仏陀）も入れられています。

ヒンドゥー教の世界では、ブッダはヴィシュヌの9番目の化身とされている

第9の化身 ブッダ
ヒンドゥー教にとって、仏教はジャイナ教と並び、一つの分派と理解されている

第8の化身 クリシュナ
暗い青い肌の美青年として登場する。その肌の色からアーリア人ではない土着の神格と考えられている。『マハーバーラタ』ではヴィシュヌの化身として登場し主人公アルジュナの師として教えを説く

第7の化身 ラーマ
叙事詩『ラーマーヤナ』の主人公。薔薇色の瞳を持つ青年君主として登場し、妻シータを巡る大冒険物語が語りつがれる

第10の化身 カルキ
白い神馬に乗った英雄。はるか未来の暗黒時代に、悪に勝利する救世主として信仰されている

ヴィシュヌの化身の10人

第6の化身 パラシュラーマ
インド神話の戦士の祖。斧を持つ仙人の姿

第3の化身 ヴァラーハ
猪の姿をしている。大地を沈める敵に勝利する

第4の化身 ナラシンハ
勇猛なライオンの姿。不死身のアスラ族を倒す

第5の化身 ヴァーマナ
土着の神バリから、3歩で全世界を騙し取った

子供

ムルガンまたはスカンダ
シヴァ神とパールヴァティーとの子供。6つの顔と12本の腕を持ち孔雀に乗る若い青年の姿をしている。手には槍を持ち、インドラ神に替わって神軍の指揮官でもある

ドゥルガー
パールヴァティーが変身した美しい女神だが、その正体は恐ろしい戦いと殺戮の神

カーリー
パールヴァティーの凶暴な一面を表す神。アスラ族との戦いに勝利し踊るカーリーは、主人のシヴァを踏みつけ、舌を出す姿で描かれる

変身　　　変身

シヴァ神と血まみれの女神

ヒンドゥーの神の共演
シヴァ神は踊り続け、女神は血にまみれ

◉ ヴィシュヌとシヴァ

　ヒンドゥー教の三大神の中で物語や祭りが盛んなのはヴィシュヌとシヴァです。

　ヴィシュヌはブラフマーが創造するもの全てを維持し、神への親愛の化身クリシュナとともに自然界と人々に平安をもたらし

ます。しかし、現実はそれだけではすみません。自然は荒々しく、人も突然の不幸に見舞われることを避けることはできません。そうした破壊の神がシヴァです。

　シヴァはきわめて凶暴で、あらゆるものを破壊します。しかし、その後の再生をつかさどるのもシヴァで、恵みの神でもあり

踊るシヴァ神　　　ナタラージャ　インド古代からの舞踏の王
シヴァ神の化身でもある

シヴァ神の背後で燃え盛るのはマントルラ。宇宙そのものを表している

冠の上から流れ出るのはガンジス川。その膨大な水量をシヴァ神が受け止める

シヴァ神は手に持った鼓を鳴らし、そのリズムに合わせて宇宙は生成と破壊がくりかえされる

束ねた髪が扇状に広がり、踊りの激しさを表している

ナタラージャの宇宙的踊りは、宇宙再生のエネルギーを象徴している

シヴァ神は蛇を身にまとう。蛇は魂の再生を象徴し、その蛇を支配するシヴァ神の力を表す

宇宙創造の静かな踊り(ラーシャ)と宇宙の破壊の踊り(アナンダ・タンダヴァ)。シヴァ神はこの2つを踊る。したがってインドの人々にとって、ダンスはシヴァ神への祈りに等しいもの

シヴァ神が踏みつけているのは、無知の象徴

インド映画にダンスは必需品

インド映画のお約束は圧巻のダンスシーン。ナタラージャの伝統が生きている

シヴァとパールヴァティー夫婦の睦まじい姿

38

ます。たとえば妻のパールヴァティーが生んだ子の頭を切り落としてしまったことがありましたが、その首に象の頭をつないだのが象頭の福神として広くまつられているガネーシャになったということです。

◯ 踊るシヴァ

シヴァはさまざまな名で呼ばれ、さまざまな化身があります。絵画や彫刻でよく見られるのはナタラージャ（舞踏の王）です。そこにもシヴァの残酷さが表されています。

シヴァがブラフマーの頭のひとつを切り落としたため、ブラフマーの一族と対立したことがあります。その対立の中でサティーという娘が火に跳びこんで死にました。シヴァはサティーの遺体を抱き上げ、全てに死をもたらすダンスを踊りました。この死のダンスを止めるため、ヴィシュヌがサティーを女神パールヴァティーとして生き返らせ、シヴァの妻にしたということです。そのほか、シヴァの恐ろしい面は女神ドゥルガーやカーリーとなっています。

闘う女神ドゥルガー

18本の腕に武器を持つドゥルガー

インド古代の神々が宿敵アスラとの戦いに負け、シヴァ神とヴィシュヌに援軍を頼んだ、そのとき2神が生み出したのがドゥルガーだった。ドゥルガーは神々から授かった武器でアスラ一族を撃破した。この戦いの怒りがドゥルガーの額を黒くし、そこからより凶暴なカーリー神が誕生した

カーリー

インドの女神は血まみれの戦士

敵の血を吸い尽くすカーリー女神

敵の将軍ラクタヴィージャは自分の血を大地に滴らせ、そこから無数の分身を生み出す。カーリーはラクタヴィージャの血を吸い尽くし戦いに勝利した

カーリーはインドでも特に人気の神。全国にカーリーを祀る寺院がある。写真はコルカタのカーリー寺院

ヒンドゥー教の聖地

ヒンドゥー教の聖地に人々は巡礼の旅をする

○ 祭りと巡礼

　宗教学や民俗学に「ハレ（晴れ）」と「ケ（褻）」という言葉があります。ハレは祭りや年中行事などの非日常（ふだんと違う特別な日のこと）、ケはふだんの日常のことです。ハレの日には、たとえば、1年が大晦日でいったん終わり、元日に新しい年が始まるように、時を再生して命を新しくする働きがあります。それは1年の日常生活でついた心身の汚れを落とすことであり、正月にはすがすがしい気分になります。そのほかの祭礼・行事も同じです。学校の新学年の始業式も、教科書やノートだけでな

聖地は魂の死と再生の地
ヒンドゥー教徒にとって
かけがえのない場所

巡礼者たち

インド全土から
団体を組んで
聖地巡礼者
が集う

聖地への巡礼

遊行者たち

世俗を離れ物乞いをしながら修行を続ける、ヒンドゥー教の遊行者

ヒンドゥー教の聖地は
3つの神の聖地でもある

一生に一度の聖なる旅

最大の祭り「クンブ・メラ」に集う人々

ヒンドゥー教最大の祝祭「クンブ・メラ」、聖地に集まり沐浴する群衆。2010年のハリドワールのガンジス川

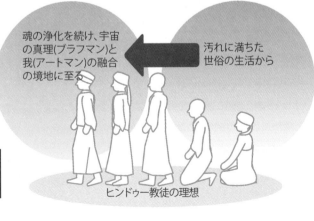

魂の浄化を続け、宇宙の真理（ブラフマン）と我（アートマン）の融合の境地に至る

汚れに満ちた
世俗の生活から

ヒンドゥー教徒の理想

く、気分も新しくしてくれます。

巡礼（じゅんれい）も、ふだんの生活を離れて特別な場所である聖地（せいち）をめぐることで、心身の汚れを落とし、新しい命をもたらす働きがあります。ヒンドゥー教には祭りと聖地が非常に多くあり、熱心に巡礼がおこなわれています。

◎インドの聖地

インドのヒンドゥー教では、各地でいろいろな神がまつられ、その伝説（でんせつ）によって有名な寺院・霊場（れいじょう）が誕生して、聖地が数多く生まれました。そのおもな聖地は下図のとおりですが、一見してガンジス川の流域に多いことがわかります。

ガンジス川は、川そのものが女神（めがみ）ガンガーとして敬（うやま）われています。女神ガンガーはシヴァの頭頂（とうちょう）にいて、シヴァの額（ひたい）に水を流します。それがガンジス川です。その中流にあるヴァーラーナシーはインド最大の聖地であり、シヴァ神の聖地として多くの巡礼者が訪れます。

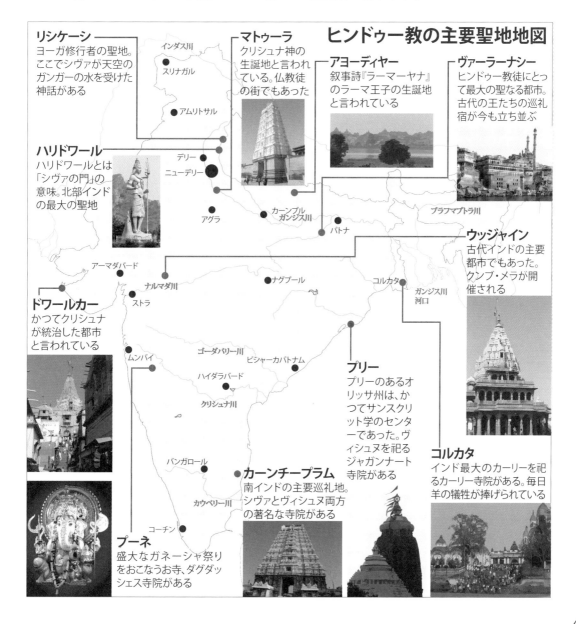

ヒンドゥー教の主要聖地地図

リシケーシ
ヨーガ修行者の聖地。ここでシヴァが天空のガンガーの水を受けた神話がある

インダス川
スリナガル
アムリトサル

マトゥーラ
クリシュナ神の生誕地と言われている。仏教徒の街でもあった

アヨーディヤー
叙事詩『ラーマーヤナ』のラーマ王子の生誕地と言われている

ヴァーラーナシー
ヒンドゥー教徒にとって最大の聖なる都市。古代の王たちの巡礼宿が今も立ち並ぶ

ハリドワール
ハリドワールとは「シヴァの門」の意味。北部インドの最大の聖地

デリー
ニューデリー
アグラ
カーンプル
ガンジス川
パトナ
ブラフマプトラ川

ウッジャイン
古代インドの主要都市でもあった。クンブ・メラが開催される

アーマダバード
ナルマダ川
ナグプール
コルカタ
ガンジス川河口
ストラ

ドワールカー
かつてクリシュナが統治した都市と言われている

ムンバイ
ゴーダバリー川
ビシャーカパトナム
ハイダラバード
クリシュナ川

プリー
プリーのあるオリッサ州は、かつてサンスクリット学のセンターであった。ヴィシュヌを祀るジャガンナート寺院がある

バンガロール

カーンチープラム
南インドの主要巡礼地。シヴァとヴィシュヌ両方の著名な寺院がある

コルカタ
インド最大のカーリーを祀るカーリー寺院がある。毎日羊の犠牲が捧げられている

カウベリー川
コーチン

プーネ
盛大なガネーシャ祭りをおこなうお寺、ダグダッシェス寺院がある

41

ダルマとマヌ法典
インドの人々の暮らしに根をおろすダルマの教えと「マヌ法典」

○ 人類の始祖マヌ

　ヒンドゥー教には仏教の仏陀（ブッダ）、キリスト教のイエスのような特定の開祖（かいそ）がいません。しいていえば人類の始祖（しそ）とされるマヌがそれにあたります。なぜならヒンドゥー教の生活を規定（きてい）するさまざまな倫理（りんり）・規則（きそく）が「マ

ヌ法典（ほうてん）」に定められているからです。
　その「マヌ法典」に「私（マヌ）は人類を創造（そうぞう）しようと欲して、至難（しなん）の苦行（くぎょう）を行ない、まず初めに、十人の人類の主となる偉大（いだい）なリシ（賢者（けんじゃ））を創造した」（1章34）とあります（渡瀬信之『マヌ法典』中公文庫による）。
　「マヌ法典」はダルマ（法（と））について説かれ

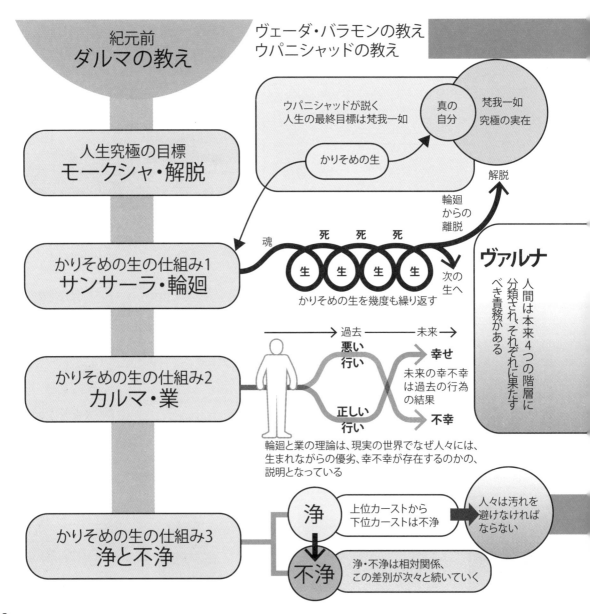

紀元前
ダルマの教え

ヴェーダ・バラモンの教え
ウパニシャッドの教え

ウパニシャッドが説く
人生の最終目標は梵我一如

真の自分

梵我一如
究極の実在

かりそめの生

解脱

人生究極の目標
モークシャ・解脱

魂　死　死　死
生　生　生　生
次の生へ
かりそめの生の仕組み1
サンサーラ・輪廻
かりそめの生を幾度も繰り返す

輪廻からの離脱

ヴァルナ
人間は本来4つの階層に分類され、それぞれに果たすべき責務がある

過去　　　未来→
悪い行い　　　幸せ
未来の幸不幸は過去の行為の結果
かりそめの生の仕組み2
カルマ・業
正しい行い　　　不幸

輪廻と業の理論は、現実の世界でなぜ人々には、生まれながらの優劣、幸不幸が存在するのかの、説明となっている

浄
上位カーストから下位カーストは不浄
人々は汚れを避けなければならない

かりそめの生の仕組み3
浄と不浄

不浄
浄・不浄は相対関係、この差別が次々と続いていく

た膨大な文献で、紀元前6世紀頃から紀元後12世紀頃まで長期にわたって編まれ続けたとも言われています。その中で中心になるのは紀元前2世紀頃から紀元後6世紀頃の法典で、ヒンドゥー教が本格的に成立した時期にあたります。

○マヌ法典の内容

マヌ法典にはモークシャ（解脱）とそこに至る行法から、現在の商法や刑法にあたることまで、社会全般にわたることが記されています。その中で非常に大きな特色は第1章88〜91に4つのヴァルナ（カースト）が定められていることです。

第1はヴェーダの祭儀にあたるブラフマナ（バラモン）、第2は人民を守るクシャトリア（王族・戦士）、第3はヴァイシャ（農民や商人）、第4は上記の3階級に奉仕するシュードラ（最下層民）です。

現代のインドでは憲法で身分差別が禁じられていますが、習慣として根強く残っています。

紀元前200〜紀元200年頃
「マヌ法典」が作られた

「マヌ法典」の骨子は、
男性の一生を
4つの時期に分け、
その時々に遵守する
規範を述べている

四住制度

| 学生期 | 家長期 | 林生期 | 遊業期 |

ヴェーダ、ウパニシャッドで説かれたダルマの法を、より人々に身近な社会規範として定めた。ヒンドゥー教の教理の骨格となると同時に、人々の精神的な拠り所ともなった

「マヌ法典」の構成

第1章：世界の創造	第7章：王の行動の準則
第2章：ダルマの源	第8章：王の行動の準則
第2章：受胎から幼児時代	第9章：王の行動の準則
第2章：学生、修業期の行動の準則	第9章：ヴァイシャの生業
第3章：婚姻及び婚姻形式の選択	第9章：シュードラの生業
第3章：家長期の行動の準則	第10章：混血集団と特有の職業
第4章：家長期の行動の準則	第10章：窮迫時の生活法
第5章：家長期の行動の準則	第11章：罪と贖罪
第6章：老後期の行動の準則	第12章：輪廻及び真の至福を齎す行為

浄

| バラモン |
| クシャトリア |
| ヴァイシャ |
| シュードラ |
| 不可触民 |

不浄

ヴァルナ
＋
不浄を避ける
＝
不浄ではない関係を持てる
限定されたグループに
細分化された

このグループが特定の
職能集団を作り、
ヴァルナの中に無数に
誕生した

この細分化された
グループは
「ジャーティ」と呼ばれる
その数は2000とも3000
とも言われている

**上位カーストが
下位カーストと、してはいけないこと**

一緒に食事をしてはいけない
結婚してはいけない
水場を一緒にしてはいけない
同席してもいけない
見てもいけない、触れてもいけない

現在のインドの人々の多くは、いずれかのジャーティに属し、
結婚、会食、職能などさまざまな規制の中で暮らしている

ジャイナ教とアヒンサー

徹底した不殺生戒を貫く
ジャイナ教は、今も健在

◎ 開祖マハーヴィーラ

　仏陀（ブッダ）が誕生した時期と同じ紀元前６世紀頃、マハーヴィーラというジナがいました。ジナは煩悩（ぼんのう）に打ち勝った勝利者という意味の聖者です。

　彼はバラモンの家系でなく、仏陀と同じクシャトリア（王族・戦士）の貴族（きぞく）に生まれましたが、30歳のときに両親と死別してから放浪（ほうろう）の苦行者（くぎょうしゃ）になり、42歳のとき、悟（さと）りを得たと伝えられています。

　そうしてジナになったマハーヴィーラには12人の弟子（でし）がおり、師（し）の教えを伝えたことからジャイナ教が生まれました。

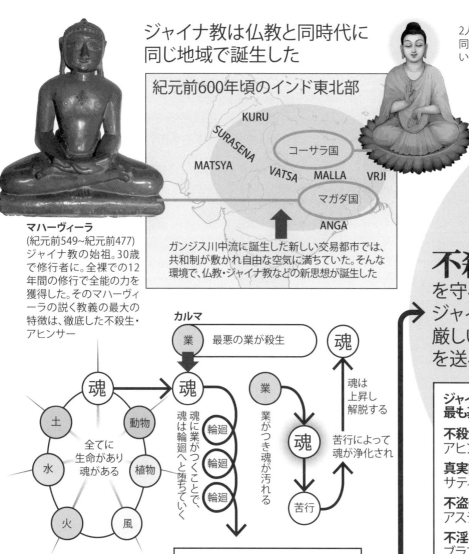

ジャイナ教は仏教と同時代に同じ地域で誕生した

2人は同じ時代に、同じ地域で布教していた可能性がある

仏陀
（紀元前565〜
紀元前486
北伝説による）

紀元前600年頃のインド東北部

KURU
SURASENA
MATSYA
VATSA
コーサラ国
MALLA
VRJI
マガダ国
ANGA

ガンジス川中流に誕生した新しい交易都市では、共和制が敷かれ自由な空気に満ちていた。そんな環境で、仏教・ジャイナ教などの新思想が誕生した

マハーヴィーラ
（紀元前549〜紀元前477）
ジャイナ教の始祖。30歳で修行者に。全裸での12年間の修行で全能の力を獲得した。そのマハーヴィーラの説く教義の最大の特徴は、徹底した不殺生・アヒンサー

カルマ

業　最悪の業が殺生

魂

魂

魂は上昇し解脱する

魂

業

土　動物
全てに生命があり魂がある
水　植物
火　風

魂に業がつくことで、魂は輪廻へと堕ちていく

輪廻
輪廻
輪廻

業がつき魂が汚れる

苦行によって魂が浄化され

苦行

森羅万象に生命と魂があると、マハーヴィーラは説いた

ジャイナ教徒にとって不殺生は解脱への最も大切な道

不殺生戒
を守るためにジャイナ教徒は厳しい苦行生活を送る

ジャイナ教の最も基本的な戒律

不殺生・
アヒンサー

真実語(不妄語)・
サティヤ

不盗(不与得)・
アスティーヤ

不淫・
ブラフマチャリヤ

無所有(不所得)・
アパリグラハ

◯ 不殺生の戒め

ジャイナ教でもインドの他の宗教と同様に、生命は輪廻すると考えられています。この世の業（行為）が悪いと、来世には悪い境遇に落ちます。逆に良い業を積めば霊魂が浄化され、輪廻から解放されます。

そのために出家修行者には5項目の厳しい戒めがあります。不殺生、真実を話すこと（不妄語）、与えられたものしか自分のものにしない（不与取）、禁欲（不淫）、何も所有しない（不所得）で、在家の信者もこれに準じて生活しなければなりません。

なかでも重視されたのは、不殺生（アヒンサー）です。食べ物は菜食に限られます。虫を殺す農業にはつけません。ジャイナ教徒には商業や金融が職業になりました。

ジャイナ教はこの強い生活規範を仏陀の時代から現代まで守り続けています。仏教のように広まることはなかったのですが、その不殺生の戒めは非暴力の思想となり、世界に大きな影響を与えています。

虫一匹殺さないジャイナ教徒の毎日のアヒンサー修行

空気中の虫を飲み込まないよう、常にマスクをしている

水こし袋は、飲み水の中の虫をのぞくため

虫たちを踏まないように、歩く道を箒で掃く

靴で虫を潰さないよう、裸足で歩く

食事の戒律も厳しいものだ

殺生となる魚、動物の肉は厳禁。基本はベジタリアンだが、植物に対しても非暴力であるよう、食する部分は豆類、葉菜、茎野菜。地中の虫に危害が及ぶ根菜類は厳禁。また蜂蜜も蜂に対する暴力となるので食用とはしない。調理も虫を殺さないよう火の使用は避け、夜間の調理も避ける

他の戒律も厳しく守られる

決して嘘をつかない
決して盗みを働かない
過分な所有はしない

だからジャイナ教徒は信用できる

その結果ジャイナ教徒は商業・金融・貴金属関連の職業で成功した

ジャイナ教徒には富豪が多い

インドのジャイナ教徒は450万人ほど、全人口の0.5%もいない。しかしインド全体の税収の2割を、ジャイナ教徒が納めている。また、東京御徒町の宝石商の半数がインド人ジャイナ教徒!!

インド独立の父マハトマ・ガンディーはジャイナ教から多くの影響を受けた

ガンディーの非暴力の思想は、ジャイナ教のアヒンサーから学んだ。断食の行も、そのように考えられる

モンゴルイスラム教徒のムガル帝国

モンゴルイスラム教徒が ムガル帝国をつくった

○ インドのイスラム教

イスラム教は紀元600年頃にアラビア半島のメッカの商人だったムハンマドが聞いた神(アッラー)の言葉を人々に伝えたところから始まります。「アッラーの御名」によって保証された信頼と商取引の共通化

によって諸民族に広まり、13世紀にユーラシア大陸の東西にまたがる大帝国になったモンゴルでも、中央アジアから西のハン国はイスラム教圏になりました。

14世紀にチャガタイ・ハン国の軍人だったティムールが建国した帝国の東部は現在のパキスタンにあたり、インドにイスラム教

1 モンゴル帝国の分裂から モンゴルイスラム教徒が誕生

キプチャク・ハン国　オコタイ・ハン国　元
チャガタイ・ハン国
イル・ハン国

モンゴル帝国 最大図版

支配する人々はイスラム教徒。モンゴル人政権は自らイスラム教徒となって現地政権として生き延びる

2 1370年モンゴル ティムールの イスラム帝国誕生

チャガタイ・ハン国に仕えた軍人ティムールが、チャガタイ・ハン国の分裂に乗じて、諸部族を統合し建国する

キプチャク・ハン国　オコタイ・ハン国　元
チャガタイ・ハン国
ティムール朝

3 ティムールの死後帝国は分裂

コンスタンティノープル
ティムール朝
ブハラ　●サマルカンド
●バグダード　●カブール
●ヘラート
●デリー
デリースルタン朝

帝国は息子たちに割譲されたが、弱体化した統治に帝国は分裂縮小した。15世紀にはサマルカンドとヘラートの2政権だけが残った

6 1526年 ムガル帝国が誕生する

バーブルは武人であると同時に、優れた詩人、文学者でもあった。自伝である『バーブル・ナーマ』は、テュルク文学の最高傑作として、現在も読み継がれている

読書する バーブルの肖像

この戦いでバーブルは大砲と騎馬兵を巧みに用いて、ローディ朝10万の大軍を1万2000の寡兵で破った。左の図には用いた大砲が描かれている

4 1483年、ムガル帝国の創始者バーブル誕生

父はティムールの曾孫　母はチンギスハーンの次男の家系の王女

ティムール帝国は滅亡し、バーブルはカブールに逃れる

5 バーブル、インドのパニーパッドの戦いに勝利

バーブルはインドに活路を見出す

しかし戦いは連戦連敗

ティムール帝国の再興を熱望する

が広まるきっかけになりました。

さらに16世紀初頭にティムール帝国の王族の一人がインド北部に入り、デリーを都にムガル朝を打ち立てたことからインドにイスラム教が本格的に広まりました。

なお、「朝」というのは王のもとに朝廷が国を治める国のことで、多くの国々を治める王朝は「帝国」とよばれます。

◯ インド文化を築いたムガル朝

ムガル朝はインドに新しい文化をもたら

しました。有名なタージ・マハルのようなドーム建築はイスラム教のモスク（礼拝堂）の技術を取り入れたものです。イスラム王朝の宮廷を中心に細かい図柄の細密画がインド独特のものとして発達しました。

なかでも、もともと音楽が盛んだったインドに西アジアの音楽や楽器が多く輸入され、イスラム的なヒンドスターニー音楽文化が形成されました。ドラム楽器のタブラー、弦楽器のシタールなど、現代インドの映画音楽にも欠かせません。

7 第2代皇帝フマーユーン

脆弱な帝国、周りは敵だらけ。フマーユーンは戦に負けて亡命したが、最後にはムガル帝国を再興させた

第2代皇帝 フマーユーン
(1508〜1556)
在位
(1530〜1540、1555〜1556)
デリー奪還の翌年、図書館の階段から落ちて亡くなる

3人の親族・兄弟とも敵対していた

マフム・ローディ → [大敗北] ← バハードゥル・シャー
← シェール・ハーン

インドの領土を全て失う ← [大敗北]

シェール・ハーン → スール朝を興す

インドの領土を全て失う → イランのサファヴィー朝に亡命した → イランの支援を受け1554年にスール朝に勝利 → デリーに帰還 → 1555年ムガル帝国を再興した

スール朝を興す → イランの支援を受け1554年にスール朝に勝利

8 第3代皇帝アクバル

第3代皇帝 アクバル
(1542〜1605)
在位
(1556〜1605)
49年の在位はムガル帝国歴代1位

イスラム教的融和政策でムガル帝国の基礎を築いた

他宗教に寛容なアクバルの統治

多彩な人種・宗教徒を政権中枢に採用した。アクバルは宮廷での様々な宗教指導者たちの議論を聞くことを好んだという。
「マンサブ」と称される、軍人・文官貴族の官僚制を制定した。
異教徒に採用される徴税制度「ジズヤ」を廃止し、ヒンドゥー教徒との平等な税制を採用した

アクバルは帝国を2倍以上にした

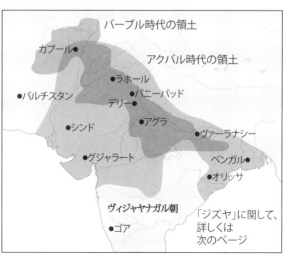

バーブル時代の領土
アクバル時代の領土
カブール
ラホール
バルチスタン
デリー
パーニーパッド
シンド
アグラ
ヴァーラナシー
グジャラート
ベンガル
オリッサ
ヴィジャヤナガル朝
ゴア

「ジズヤ」に関して、詳しくは次のページ

寛容なイスラムとシャー・ジャハーン

ヒンドゥー教社会をゆるく統治した イスラム教の寛容の政策

◎イスラム教の特色

日本ではあまりなじみがないイスラム教ですが、世界全体では現在4人に1人がイスラム教徒です。教えの特色は、僧や神父のような聖職者は認めず、信徒の中から指導者を選ぶこと、仏像や神像の崇拝は認め

ず、唯一神アッラーの像もありません。ムスリム(イスラム教徒)は聖地メッカの方向に礼拝することなど、六信五行といわれる心得を基本とします。

それをどの程度守るかは地域や考え方によって違いがあり、インドのイスラム教は比較的ゆるやかです。

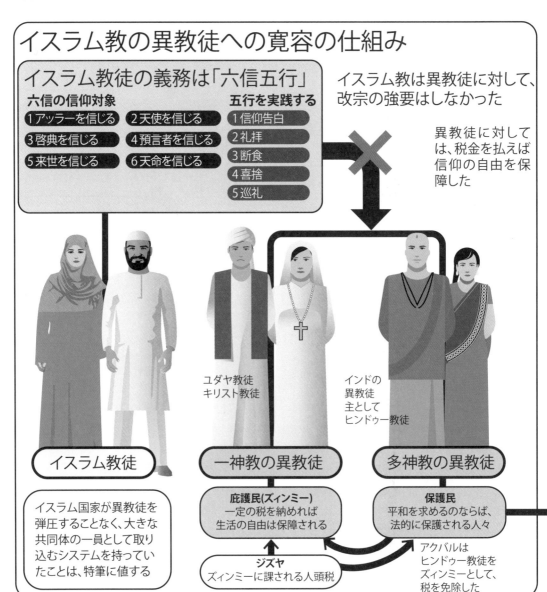

イスラム教の異教徒への寛容の仕組み

イスラム教徒の義務は「六信五行」

六信の信仰対象
1 アッラーを信じる　2 天使を信じる
3 啓典を信じる　4 預言者を信じる
5 来世を信じる　6 天命を信じる

五行を実践する
1 信仰告白
2 礼拝
3 断食
4 喜捨
5 巡礼

イスラム教は異教徒に対して、改宗の強要はしなかった

異教徒に対しては、税金を払えば信仰の自由を保障した

ユダヤ教徒
キリスト教徒

インドの
異教徒
主として
ヒンドゥー教徒

イスラム教徒

一神教の異教徒

多神教の異教徒

イスラム国家が異教徒を弾圧することなく、大きな共同体の一員として取り込むシステムを持っていたことは、特筆に値する

庇護民(ズィンミー)
一定の税を納めれば
生活の自由は保障される

保護民
平和を求めるのならば、
法的に保護される人々

ジズヤ
ズィンミーに課される人頭税

アクバルは
ヒンドゥー教徒を
ズィンミーとして、
税を免除した

また、異教徒でも税を払うことを条件に、その信仰を許され、異教徒だからといって殺されることはありません。

◯ シク教の誕生

シク教はインド北西部のパンジャーブ地方の役人だったナーナク（1469 ～ 1538年）がヒンドゥー教の改革を唱え、イスラム教の教義も取り入れて開いた宗教です。ナーナクはグル（師）とよばれる指導者になり、その教えを説きました。

シク教でも輪廻があるとし、良い業（行為）をすることで幸福を求めます。しかし、ヒンドゥー教のカーストや男女の差別を否定しました。いちばん良い業は、我欲をおさえ、他者に奉仕することです。そのためグルドワーラー（シク教寺院）でランガルとよばれる食事がふるまわれます。それは万人に対する奉仕で、シク教徒でなくても食べることができます。

シク教徒の男性は頭にターバンを巻くのが決まりなので、すぐにわかります。

シャー・ジャハーンはムガル帝国の最盛期をつくり、インドイスラム文化の花を咲かせた

ムガル帝国は政治的な安定期を迎える

第5代皇帝　シャー・ジャハーン
(1592~1666) 在位(1628~1658)
若い時期は帝国領土の拡大のために戦い、デカン高原にまで拡大した。国家の歳入はアクバル時代の約2倍となり、この潤沢な資金がインドイスラム式の建築、豪華な玉座、そして芸術の保護に費やされた

イスラム支配に対抗して
ナーナクがシク教を北インドで創設

グル・ナーナク
(1469~1538)
現在のパキスタンのラホール近郊で誕生。ヒンドゥー教の改革者として、シク教を創設する。カースト制度を否定し、イスラム教の影響も受け偶像崇拝を認めない

16世紀にシク教徒は、総本山をパンジャブ州のアムリトサルに建設。ゴールデンテンプルがその中心にある

インド
ムガル芸術の華・
細密画の世界

イスラム支配の終わり

イスラム教インド支配の終焉は
アウラングゼーブの宗教弾圧に始まる

◉ イギリスの進出

1498年、ポルトガルのヴァスコ・ダ・ガマがアフリカの喜望峰をまわってインドに着く航路を開きました。インド洋はイスラム商人の海だったのですが、以後、ヨーロッパ諸国の進出が始まり、インドにキリスト教の教会も建てられました。

そのヨーロッパ諸国のなかでも、イギリスは東インド会社をつくって盛んに交易をおこなうようになりました。

そのころ、ムガル帝国が最盛期を迎えます。第6代皇帝アウラングゼーブ帝（在位1658～1707年）の代です。

第6代皇帝　アウラングゼーブ

(1618~1707)
在位
(1658~1707)
父のシャー・ジャハーンを幽閉したのち、政敵の兄弟を抹殺し権力基盤を整え、これまでのヒンドゥー教に融和的な政策を一挙に改め、弾圧政策をとる。当然反発する勢力との戦いが続き、その生涯の多くを戦場で送る

アウラングゼーブのイスラム強権政治

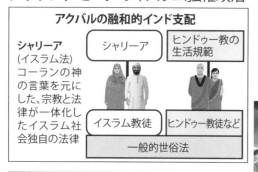

アクバルの融和的インド支配

シャリーア
(イスラム法)
コーランの神の言葉を元にした、宗教と法律が一体化したイスラム社会独自の法律

シャリーア	ヒンドゥー教の生活規範
イスラム教徒	ヒンドゥー教徒など
一般的世俗法	

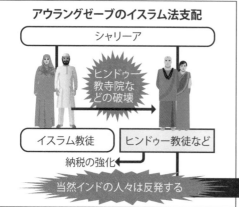

アウラングゼーブのイスラム法支配

シャリーア

ヒンドゥー教寺院などの破壊

イスラム教徒　ヒンドゥー教徒など
納税の強化

当然インドの人々は反発する

アウラングゼーブは武力で帝国を最大としたが、それが帝国崩壊の引き金だった

アウラングゼーブ時代の領土と各地で上がる反乱の火の手

カブール
シク王国
デリー
アグラ
ラージプト諸侯
ムガル帝国
カルカッタ
アラビア海
ボンベイ
マラーター王国
ゴア
マドラス
カリカット
ポンディシェリ
ベンガル湾
イギリス東インド会社
スリランカ

ムガル帝国とマラーター王国とのデカン戦争

インド各地で反乱が起こった

マラーター王国とのデカン戦争
1681年、アウラングゼーブが50万の大軍を率いて、デカン高原に進出しマラーター王国との戦争が始まる。以来、アウラングゼーブは一度も帰国することなく、戦いは25年以上続く。莫大な戦費にムガル帝国は財政破綻し、アウラングゼーブの死によって、帝国は崩壊に向かった

シク教徒の抵抗
シク教団を弾圧したが、後にシク王国建国で抵抗

○ インド大反乱

アウラングゼーブ帝は厳格なイスラム教徒でした。偶像崇拝を否定し、ヒンドゥー教やジャイナ教の寺院を破壊し、軍を送って弾圧しました。それによってムガル帝国に服さない地域も平定して領土は最大限に広まったのですが、非イスラムの王国が一斉に大反乱を起こしました。それによってアウラングゼーブ帝の死後、ムガル帝国は急速に衰退し、1858年に滅亡。インドは

イギリスが統治するようになり、その植民地になりました。

○ インドの独立

インドがイギリスから独立したのは1947年です。独立運動を指導したマハトマ・ガンディーはインド全体がひとつの国になることを目指したのですが、北西部とガンジス川の河口部はイスラム教徒がパキスタンとして独立。1971年にバングラデシュがパキスタンから分離・独立しました。

東インド会社の侵略と闘った、ムガル帝国の2人の皇帝

第17代皇帝 ハバ・ドゥルシャー

インド大反乱 敗北

ビハール 抵抗戦争 敗北

イギリス東インド会社
1612年にインド進出、スラートに商館を築き、1756年にはベンガルに進出し、プラッシーの戦いで3州の徴税権を得る。同じ侵略方法でインドの小王国を征服し、事実上のインドの支配者となった。1857年のインド大反乱では、イギリス政府も介入し反乱を鎮圧

1858年インド大反乱に敗北しビルマに追放 ここにムガル帝国は滅亡する

東インド会社の傭兵の反乱に、反イギリス勢力が結集して始まったインド大反乱。この勢力がムガル帝国第17代皇帝ハバ・ドゥルシャーを名目上の指導者として担ぎ出した。戦いは反乱軍の内紛もあり敗北し、ハバ・ドゥルシャーはビルマに追放された

第15代皇帝 シャー・アーラム2世

シャー・アーラム2世は、1764年にベンガルの自治を回復するための連合軍を組織したが敗北。ベンガル、ビハール、オリッサの徴税権を与え、自身はイギリスの保護下におかれた

没落する ムガルの 皇帝たち

アウラングゼーブの死後帝国は崩壊に向かう

第7代皇帝 バハードゥル・シャー1世 在位 (1707〜1712) シク教徒と戦う

第8代皇帝 ジャハーンダール・シャー 在位 (1712〜1713) サイイードの傀儡が12代まで続く

第12代皇帝 ムハンマド・シャー 在位 (1719〜1748) サイイードを排除するも、イランの侵入を許す

第13代皇帝 アフマド・シャー 在位 (1748〜1754) 宮廷の勢力争いで盲目にされ廃位される

第14代皇帝 アーラムギール2世 在位 (1754〜1759) アフガンがデリーを侵攻、皇帝は家臣により暗殺

Part 4
古代中国の宗教

中国の天地創造神話

宇宙は1個の卵から生まれる 天地の始まりの物語

⚫ 中国の宇宙卵

世界の神話は共通して、初めに形のある ものは何もなく、全ては混沌（カオス）の 状態だったといいます。中国の漢民族では、 世の初めのカオスはだんだん固まって1個

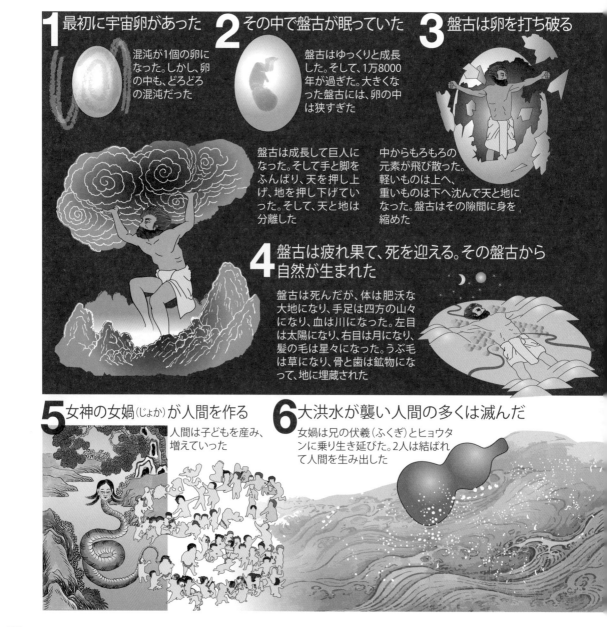

1 最初に宇宙卵があった

混沌が1個の卵になった。しかし、卵の中も、どろどろの混沌だった

2 その中で盤古が眠っていた

盤古はゆっくりと成長した。そして、1万8000年が過ぎた。大きくなった盤古には、卵の中は狭すぎた

盤古は成長して巨人になった。そして手と脚をふんばり、天を押し上げ、地を押し下げていった。そして、天と地は分離した

3 盤古は卵を打ち破る

中からもろもろの元素が飛び散った。軽いものは上へ、重いものは下へ沈んで天と地になった。盤古はその隙間に身を縮めた

4 盤古は疲れ果て、死を迎える。その盤古から自然が生まれた

盤古は死んだが、体は肥沃な大地になり、手足は四方の山々になり、血は川になった。左目は太陽になり、右目は月になり、髪の毛は星々になった。うぶ毛は草になり、骨と歯は鉱物になって、地に埋蔵された

5 女神の女媧（じょか）が人間を作る

人間は子どもを産み、増えていった

6 大洪水が襲い人間の多くは滅んだ

女媧は兄の伏羲（ふくぎ）とヒョウタンに乗り生き延びた。2人は結ばれて人間を生み出した

の卵になったと伝えています。

その卵の中もどろどろでしたが、1万8000年がたち、「盤古（古さが固まったもの）」という生き物が生まれました。盤古は成長すると、卵の殻が狭すぎることに気づき、殻をふたつに割りました。上の殻は空になり、下の殻は大地になりました。その後、左下の図に示したようなことがあって、天と地の万物が生まれ、人間も誕生したということです。

◯ 創造神はいない世界

キリスト教では1人の神が万物を生み出し、人間もつくったとされますが、中国の盤古はそのような創造主ではありません。カオスが自然に固まって生まれたものです。そのため、中国では、戦勝や豊作を祈るときは、それぞれ別の神に祈るので、多くの神をまつる多神教の世界が生まれました。

7 生き延びた人間を10個の太陽が焼く その危機を弓の名手の羿（げい）が救う

堯（ぎょう）という皇帝の世になって、太陽が10個に増えたことがある。空はギラギラと照り映え、地は熱せられて、作物は枯れてしまった

8 太陽の精霊を射落とす

堯は、東方の天帝＝帝俊（ていしゅん）に太陽を減らしてくれるように祈った。そこで帝俊は弓の名手の羿を地上につかわした。羿が太陽に向けて矢を放つと、3本足のカラスが落ちてくる。それが太陽の精霊で、カラスが落ちると、太陽は消滅する。
それを見た地上の皇帝＝堯は、羿の矢筒に入っていた10本の矢のうち1本を隠しておいた。
残った9本の矢を全て放った羿は、それで仕事を終えたと思って天に帰っていった。こうしてひとつの太陽が残り、地上はおだやかな天候になったと言われている

中国の宇宙観・基本

「気」が全てを生成し、「天」が全てを支配する

🔵 中国の無神論

　中国では、いろいろな多くの神がまつられています。歴代王朝で大きな事績のあった皇帝、戦いの英雄などが神としてまつられていることがよくあります。にもかかわらず、基本は無神論の世界であるといえま

す。キリスト教のヤハウェのような唯一の絶対神がないだけでなく、神々も「気」と「天」に支配されており、それは目に見えず、名も姿もないものだからです。

🔵 全てにいきわたる「気」

　心身が健康な状態を「元気」といいます。

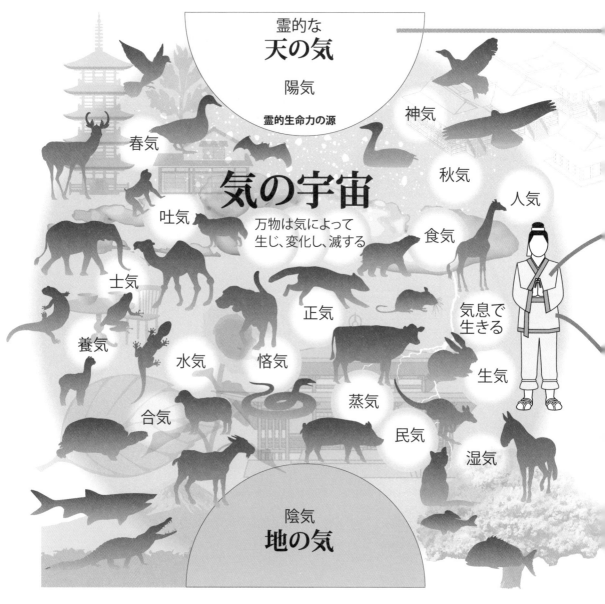

霊的な
天の気

陽気

霊的生命力の源

神気

春気

秋気

人気

気の宇宙

万物は気によって
生じ、変化し、滅する

吐気

食気

士気

正気

気息で
生きる

養気

水気　恬気

生気

合気

蒸気

民気

湿気

陰気
地の気

もとは万物を生成する精気を「元気」といいます。それが心身にとどこおりなく働いていれば健康ですし、胃や腸などのどこかがつまったり、気持ちがよどんだりすると、病気になると考えられます。

気分がいいとか悪いとかいうのも「元気」の状態です。「元気」はいろいろな形で働いているので、人々に好評を得る人気、まわりにある空気、人の運命に働く運気、なんとなく感じる霊気や気配など、「気」のつく言葉はたくさんあります。

◯ 「天」の命じるままに

「天」は天の皇帝（天帝）としてまつられることもありますが、それよりも北極星で象徴されます。星々はその周囲をまわり、北極星は動きません。そのように全ての中心にあるのが「天」です。

中国では皇帝も「天命」を受けて即位するものとされました。今も天の意志（天意）は人間の運命を左右するものと考えられており、それをうかがう占いが盛んです。

天帝

万物が生ずる天空の主宰者であり、人の運命を司り、政道の指標でもあり、その意志を天命として下命する存在

天意を尋ねる

天命

もし天命が下りないと

天命

皇帝

新しい皇帝

新しい天命が別の王に

皇帝は天壇で天に問う

天壇（てんだん）は天を祀り、その天に願いを届け、天命を聞く場所。これができるのは皇帝だけ。中国の歴代の皇帝は、この天壇を築き盛大に祭天の儀式を行った

民を統治する

権力の霊的な権威の保証

闘争

反乱

民衆

地の気

原初の三帝

天と地と人を生んだ神々。伏羲（ふくぎ）・神農（しんのう）・黄帝（こうてい）ともいう。黄帝は天下を治めることになった最初の皇帝。黄帝は黄色の装束で身を包んでいた。以後、中国では黄色が皇帝の色となる

黄帝から5人の皇帝が続いた

最初の皇統は黄帝の子孫が嗣いだ。司馬遷の『史記』によれば黄帝－顓頊－帝嚳－尭－舜である。この五皇によって、暦がつくられ、治水が進んだ。とりわけ尭（ぎょう）・舜（しゅん）の代は平和な世であり、舜が開いた夏（か）王朝は理想的な世として伝えられる

殷から周へ易姓革命が起きた

易姓（えきせい）革命とは、皇帝の姓名が改変されること。天命を失った皇帝が、新たな天命を受けた皇帝に変わる「革命」

戦乱の世を経て、秦の始皇帝が中国を統一した

歴史上の中国は紀元前数千年にさかのぼる。黄河文明が生まれた土地に諸王国が分立して戦っていた春秋戦国時代、秦王の趙（ちょう）氏の政（せい）（紀元前259〜前210年）が戦いを制し、紀元前221年に初めて中国を統一した。政は秦始皇と名乗った

匈奴

万里の長城

秦（しん）

始皇帝
(しこうてい)
(紀元前259
〜紀元前210)

春秋戦国
時代は
p58-59

55

中華の世界観

中国古代からの冊封体制
中華思想の源流がここに

🌐 中華皇帝と冊封体制

九州の博多湾の志賀島から「漢委奴国王」と刻まれた金印が発掘されました。弥生時代に北九州にあった「奴」の国から、漢の皇帝に使者と貢ぎ物を送り、皇帝から「委の奴の国王」と認められた金印でした。

このように、中国の皇帝に対して臣下の礼をとって朝貢し、見返りに王の地位を認められる、漢の時代に始まったこの仕組みを、冊封体制といいます。

冊封の「冊」は皇帝の勅書のことで、この書面によって、各地の豪族の長などを国王に任じたわけです。

中華帝国の冊封体制とは?

中国の皇帝に対して臣下の礼をとって朝貢し、見返りに王の地位を認められる仕組みを冊封体制といい、漢代（紀元前3世紀～後3世紀）に始まった。冊封の「冊」は皇帝の勅書のことで、それによって各地の豪族の長などを国王に任じた

万里の長城で
西の蛮族と戦い続けた

漢民族の中原は北方や西方の遊牧民の侵入と略奪にさらされた。その侵入を防ぐために秦の皇帝が長城を築いた。その後、清代（1644～1912年）に至るまで、諸王朝が修復したり新造したりして、人類最大の建造物になった。この長城を築く動機には、化外の異民族に対する恐怖があった

中華の外は
妖怪・化け物の世界

四夷は人間ではない妖怪のようなものが住む土地とイメージされた。前4世紀～後3世紀の秦・漢代に編まれた中国最古の地理『山海経』には、中華の域外に住むという妖怪や珍獣がさまざまに描かれている。そのイメージは『西遊記』などの物語の元になった

北狄（ほくてき）
匈奴・鮮卑・契丹・蒙古などの北方の民族。犬の同類

天の普遍的な法則に則って、地上の皇帝となった存在

天子
中国の皇帝が
世界の中心

西戎（せいじゅう）
西域と呼ばれた諸国の人など。羊を放牧する人で、人と羊の同類

中原（ちゅうげん）
漢民族の土地の中心地
（中華の中心）

中華の周辺
冊封した諸民族の王たちの国家

南蛮（なんばん）
東南アジア諸国や南方から渡航してきた西洋人など。虫の同類

この中華冊封圏の範囲は、朝鮮半島・日本から東南アジアのベトナムに及びました。

漢字文明圏の形成

ベトナムは漢字で「越南」と称されました。長江（揚子江）の南に越の国の民族が移動して建国したからです。そのため、東南アジアの他の国々と違って、中国風の文化を伝える、漢字文化圏となりました。

漢字は中華冊封体制下の、共通の文字であり、表意文字なので、地域や民族ごとに発音は異なっても、意味は通じるのです。

中華と四夷

中華文明圏の中心をなす漢民族は、文明に浴さない蛮族が自分たちの四方にいると考えました。それが冊封体制に属さない人々で、東夷、南蛮、西戎、北狄の四夷と称され、中華文明を脅かす存在でした。特に北方の北狄とは匈奴に代表される騎馬遊牧民で、この侵略に備えた万里の長城の維持は、歴代中華皇帝の責務でもあったのです。

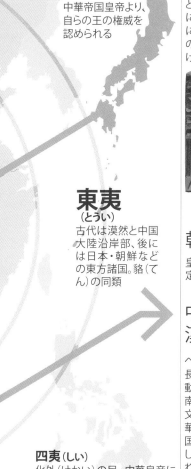

冊封すると
中華帝国皇帝より、自らの王の権威を認められる

東夷（とうい）
古代は漠然と中国大陸沿岸部、後には日本・朝鮮などの東方諸国。貊（てん）の同類

四夷（しい）
化外（けがい）の民＝中華皇帝に従わない異民族

弥生時代の北九州の王国も中華帝国に冊封していた

九州の博多湾の志賀島から「漢委奴国王」と刻まれた金印が発掘された。弥生時代に北九州にあった「奴」の国から漢の皇帝に使者と貢ぎ物を送り、皇帝から「委の奴の国王」であると認められ、その金印を授けられた

「漢委奴国王」金印

江戸時代の天明4年（1784）に農民が田んぼの溝で発見した。印面は右2.345cm、左2.349cm。元は綬（ひも）がついていたはずで、合わせて印綬という。勅命で王を冊封したり、役人を官位官職につけたりすることを「印綬を授ける」といった

東京国立博物館蔵（模造）
ColBase（https://colbase.nich.go.jp/）

朝貢国
皇帝と君主関係を結び、定期的に貢物を献上する国

中華帝国の文化的核は漢字文明

ベトナムは漢字で「越南」といった。元は長江（揚子江）の南に越の国の民族が移動して建国したのだという。そのため、東南アジアの他の国々と違って中国風の文化を伝え、漢字も使われる。漢字は中華冊封体制下の共通の文字である。中国では国が分裂して複数の王朝が分立したり、異民族が漢民族を征服して生まれた土朝もあったが、漢字は今日まで受け継がれて、中華文明圏を支えた

漢字文化

Part 4
古代中国の宗教 ④

道者の世界

春秋戦国の戦乱の時代に王のため諸子百家の教えが生まれた

◎ 易姓革命の始まり

紀元前16世紀、黄河の中流域を武力で広く平定して殷（商）という国が生まれました。巨大な王墓（殷墟）などの遺物から実在が証明できる中国最古の王朝です。

殷の王は、複雑な文様の青銅器で神に供物を捧げ、亀の甲羅や牛の骨に文字を刻んで神意を占い、政治を行っていました。

この殷が前11世紀に周の文王によって滅びます。殷の紂王が暴虐で民を苦しめたため、「革命」が起きたのだといいます。

革命とは天帝の命が革まることで王家が交替すること。王家の姓が易わるため、

紀元前1600~前1023年
殷は王が祭祀をして、占いで政治をする祭政一致国家

殷代の大まかな領土

黄河
岐山　牧野　殷墟　鄭州
周文化圏　長江

亀の甲羅や牛の肩甲骨などに小刀で文字を刻みつけた。その甲羅や骨を焼いて、筋の入り具合によって占いをした。殷の遺跡からの出土数は10万片を超える。この亀甲（きっこう）文字が最古の漢字といわれる

殷の最後の王は、暴政の果てに滅ぼされた

辛（しん）と呼ばれる王は、離宮の中に酒の池を作り、肉の林の中に裸の人間たちを放し宴会を行った。これが「酒池肉林（しゅちにくりん）」のいわれ

**中国最初の会戦
牧野の戦いで殷は滅亡する**

周王朝が成立する
封建制度での統治が始まる

平定した領土を親族の諸侯に分配して統治する、初期の封建制度が採用された。この諸侯の反乱が後の春秋戦国時代を招く

旧周王朝の同族と、南の長江から台頭する新興勢力との戦いが繰り広げられる

春秋時代

燕
中山　斉
黄河
晋　衛　魯
周　鄭　宋
秦　陳
蔡　呉
楚
長江　越

殷から周への政権交代が易姓革命の典型といわれる

諸侯と民衆の反乱で周は衰微し戦乱の時代が500年間も続く

西周王朝の最大版図

黄河　曲串　翼
周　呉
洛巴　黄
長江　長沙

統治能力が失われた周政権に替わり、群居する諸侯を武力でまとめる「覇者（はしゃ）」が現れる。この時代を春秋時代という。最初の「覇者」は斉（せい）の桓公（かんこう）が立ち、国政を握り、最初の諸侯間の安全保障の盟約を結ぶ。しかし、これ以降次々と「覇者」が登場し、主要国の晋が韓・魏・趙の三国に分裂し、時代は戦国時代となる

易姓革命ともいいます。
<ruby>易姓<rt>えきせい</rt></ruby>

　易姓革命は、中国の古代から現代までを<ruby>貫<rt>つらぬ</rt></ruby>く、支配者の<ruby>興亡<rt>こうぼう</rt></ruby>の論理です。その最初が殷から周への王朝の交替でした。

◉ 春秋戦国時代と諸子百家

　紀元前771年、周王が北方の<ruby>遊牧民<rt>ゆうぼくみん</rt></ruby>によって殺害され、周は<ruby>滅亡<rt>めつぼう</rt></ruby>します。翌年、周は都を<ruby>遷<rt>うつ</rt></ruby>して再興しますが、もはや以前の力はなく、中国は有力七国（<ruby>戦国<rt>せんごく</rt></ruby>の<ruby>七雄<rt>しちゆう</rt></ruby>）に分割されます。七国がそれぞれの<ruby>存亡<rt>そんぼう</rt></ruby>をかけて戦う、戦乱の世が続きました。この戦乱は、前221年に秦の始皇帝によって統一されます。その間（紀元前770〜前221年）の歴史が、孔子の『<ruby>春秋<rt>しゅんじゅう</rt></ruby>』と<ruby>劉向<rt>りゅうきょう</rt></ruby>の『<ruby>戦国策<rt>せんごくさく</rt></ruby>』に記録され、春秋戦国時代と呼ばれます。
<ruby>孔子<rt>こうし</rt></ruby><ruby>始<rt>し</rt></ruby><ruby>皇帝<rt>しこうてい</rt></ruby><ruby>秦<rt>しん</rt></ruby>

　この時代に諸子百家と総称される多くの思想家が現れました。各国の王の助言者ともなり、国と人々の<ruby>安泰<rt>あんたい</rt></ruby>を説きました。この諸子百家の思想は、その後に伝来した仏教や現代の<ruby>共産主義<rt>きょうさんしゅぎ</rt></ruby><ruby>思想<rt>しそう</rt></ruby>にも反映され、中国独特の精神的原型を作ったのです。
<ruby>諸子<rt>しょし</rt></ruby><ruby>百家<rt>ひゃっか</rt></ruby>

戦国時代の各国の版図
戦国の七雄が競い合う

戦乱の時代は、実力次第の自由な時代。各国の王は、自分の統治の思想を求め、それに応えて多くの思想家が誕生した

陰陽家（いんようか）
鄒衍（すうえん）
陰陽五行思想を唱え、天地自然の法則を吉凶徐福の予知に使う

兵家（へいか）
孫子（そんし）
軍事における戦略論と、実際の兵法を説いた。『孫子の兵法』が現代に生きる

諸子百家＝新たに登場した
主要な思想家たちのグループ

「家」はそれぞれの総称で、師は「子」と尊称した。兵家の『孫子』、法家『韓非子』など、それぞれの師の名をつけた言行録が編まれ、今も使われる故事や諺の源泉になった

儒家（じゅか）
孔子　孟子
仁・礼などの規範を元にする、理想の政治のための哲学を説いた

墨家（ぼくか）
墨子（ぼくし）
中国では特異な、平等と平和の思想を基礎とした国家を理想とした

道家（どうか）
老子（ろうし）
人間の作為を配した、無為自然のあるがままの人間のあり方を説いた

法家（ほうか）
商鞅（しょうおう）
厳格な法による国政を提唱し、秦の国家理念の基礎となる

韓非（かんぴ）
官僚の統制のための結果主義、能力主義を説いた

名家（めいか）
形式論理学の考察を多く残した

農家（のうか）
農業技術の専門家を輩出した

道(タオ)を説く中国独自の宗教 漢民族の風習・民族文化を育む

◉ 老荘の道(タオ)

道教は老子と、それを発展させた荘子を祖とし、老荘思想ともいいます。

道教の道(タオ)とは、世の初めから存在する、天然自然の万物をつかさどる摂理のこと。荘子は、人間がこの摂理に従い、無為自然に生きることを理想としました。

古代の道教の修行者は方士(のち道士)と呼ばれ、かれらは道観(道教寺院)に集まり、さまざまな方術を研鑽しました。

道教の特徴は、この実践的な方術にあります。例えば不老長生を求める神仙術、霊符(お札)を用いる呪術、死者の魂の鎮めと

老子
道教の根本思想である「道」の教理を説いた

張陵(ちょうりょう)
道教を教団として組織化し、民衆に広めた

道とは?

根源的神秘の世界

目に見える現象世界を超えて

万物の根源のこの世界の根源的な法則のこと

道教は典型的な多神教

道教の最高神「玉皇(ぎょくこう)大帝」を中心に神が居並ぶ。メトロポリタン美術館蔵

張陵は、中国における原始道教の一派である、五斗米道(ごとべいどう、別名天師道)の開祖。民衆のために治病の祈祷を中心に布教し、信者に5斗(日本の5升=9リットル)の米を供出させたことから、五斗米道という呼称が生まれた

除災を願う斎醮、卜占などがあります。

　なかでも不老長生をもたらすために錬丹術（薬学）と医術が研鑽され、中国独自の漢方医療を発達させました。

◉ 中華の王朝と道教の広まり

　その時々の王朝の王や皇帝にとって、鬼神をも使役できる道教の方士は、国を治めるための力を得るために、頼りになる存在。

　そのため、多くの方士が国家の顧問に迎えられ、中には道教の神仙を祀り、道教を国教とする皇帝も現れました。この結果、道教は、当時同じく信仰されていた仏教や儒教と対立し、宮廷の道士の進言で儒教や仏教が弾圧されることもありました。

　道教は自然発生的な宗教・文化ですが、儒教・仏教と同様に教団組織も発展し、11世紀には、「道蔵」という道教の全集が編纂されました。しかし、実際には土地の伝承によって、歴史上の人物を含め、さまざまな神が祀られ、漢民族の風習、民俗文化となっています。

道教の理想は
不老不死の
仙人になること

修行と仙術で不死の仙人になることができる、
そう人々は信じた

仙人になるための修行

神仙道
後漢の人、葛洪（かつこう）は、人は学び努力すれば仙人になれると主張し『抱朴子（ほうぼくし）』にその方法を詳しく記し、神仙道の基礎を作った

外丹法（がいたんほう）
仙人となる秘薬の研究。自然界の金石草木を調合し不老不死の薬を錬成しようとした、中国版錬金術ともいえる。この研究は後に火薬の発明に、医薬品の発見から漢方医学の発展につながった

内丹法（ないたんほう）
人間の肉体の鍛錬により、体内に仙人となるための丹薬を作りだそうとした。独特な呼吸法、瞑想法、身体の鍛錬法などが試みられた

民衆の中に広まった道教の日常の教え

禍福（かふく）**の倫理観**
人々の日常の行為は、すべて天の知るところ・その行為の善悪にしたがって、禍福がもたらされる
「一には、殺さず、まさに衆生を念ずべし。
　二には、人の婦女を淫犯せず。
　三には、義にあらざるの財を盗み取らず。
　四には、欺いて善悪正反対の議論をせず。
　五には、酔わず、常に浄行を思う」
など十の誡めが並ぶ

呪術
道教の司祭である道士によって、霊的な能力が宿るとされる「符」（お札、霊符）が古くから用いられ、天災・人災を防ぐほか、邪悪・病魔を退散させる呪術の一種として普及した

養生術
健康のための身体訓練の方法が広く普及した。呼吸法、歩行法、按摩、食養、など多岐にわたる

この神仙道の修行法が、今につながる中国独特の身体制御の思想と技術体系を生み出した

導引術　気功術　太極拳
漢方医学、針灸治療

道教の教えは
今日の中国の人々の日常生活の
倫理、生活習慣、知恵として受け
継がれている

陰陽道
天と地の意思を知る
「太極」「元気」の思想と実践

◯ 陰陽五行

戦国時代の諸子百家に鄒衍（紀元前4〜3世紀）という人がいます。かれは天然の万物の運行を観察し、陰陽五行説を立て、陰陽家の祖と称されます。

鄒衍は言います。陰と陽は万物の性質で、この性質が固定してあるわけではない。陰と陽は変化し、四時（四季）の巡りのように、さまざまな変化を生み出すのだと。

五行とは万物の元素で、木・火・土・金・水の5つに分類できます。木は燃えて火になり、火は水によって消えるというように、互いに関連し、相互に働いて万物を生み出

陰陽の仕組み

初源の混沌
(カオス)があり

陰陽によって
天と地が分かれる

陽＝天

陰＝地

陽の気が天となり、
陰の気が地となった

陰陽のバランスは
常に変化する

陽

陰

陰極まれば陽に、陽極まれば陰
に。森羅万象も、この陰と陽の
バランスで常に変化し続ける

現象世界の状態を
陰陽のバランスで
読み解く

太陽

太極

太陰

陰陽と五行が
組み合わされる

五行の仕組み

森羅万象は
木・火・土・金・水の
5つの要素で
できている

火
木　土
水　金

5つは互いに干渉し生滅盛衰の
循環を繰り返す
相生(互いを生み出す)の陽の関係

木は春の象徴で、火を生み出し
火は夏の象徴で、土を生み出し
土は季節の変わり目で、金属を生み出し
金は秋の象徴で、水を生み出し
水は冬の象徴で、木を生み出す

相剋(互いを打ち消す)の
陰の関係

木は土の養分を奪い
痩せさせる
火は金属を溶かす
土は水を濁らせる
金は木材を傷つける
水は火を消してしまう

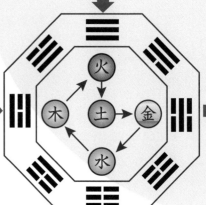

し、常に変化させています。

　鄒衍はさらに九州説という世界観を立てます。世界は9つの島から成り、その1つ1つの島にも九州があり、合計81の島がある。人々が広いと思っている中国も81の島の1つにすぎず、外側には未知の80の世界がある、という気宇壮大な宇宙観です。

🌑 易経と陰陽道

　いっぽう、陰陽家は、遥かな黄河文明の殷・周の時代に始まる占いや宇宙観をま

とめた『易経』という書物を編纂します。以後、陰陽道は占い、天文、気象、暦などの天然を読み解く陰陽道へと発展します。

　この陰陽道は、その背後に太極(宇宙万物の根源)の理論をおきます。太極に元気(万物を育む天地の精気のようなもの)が働き、この元気が自然はもとより人体も成り立たせているというものです。

　この陰陽道の太極の思想は道教・儒教・仏教にも影響を与え、陰陽のバランスを重視する中国医療の基礎ともなりました。

【太極と八卦】

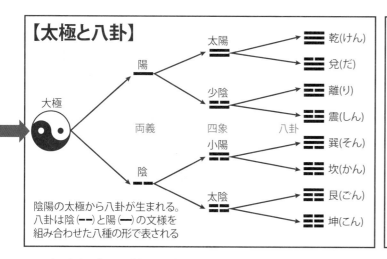

陰陽の太極から八卦が生まれる。
八卦は陰(⚋)と陽(—)の文様を
組み合わせた八種の形で表される

【易と卜占】

「易」という字は、変わること、また変わりやすいことを意味する。国や人の運命の変化を知る手立てが卜占(ぼくせん)である。「卜」は古代の黄河文明で亀の甲羅や獣骨に文字を書いて占うことをいう。「占」は卜と口を組み合わせた字で、巫者(ふしゃ)が卜の結果を告げることをいう。また、占拠するというように「自分のものにすること」でもあり、占って運命を自分のものにすることを意味した

方位と時間が組み合わされる

【十干と十二支】

十干は、甲、乙、丙、丁、戊、己、庚、辛、壬、癸で、もとは一旬(10日)を表したという。また、2つずつ五行(木、火、土、金、水)に配当された。

十二支は、子、丑、寅、卯、辰、巳、午、未、申、酉、戌、亥の12で時刻と方位を区切ったもの。
この十干と十二支が干支で、その組み合わせは60でひとまわりする。干支の組み合わせは漢代に成立して暦の基本になり、毎日の時刻と方位の吉凶にも用いられる。

それは東アジア漢字文明圏の偉大な遺産になった。皇帝が定める年号は頻繁に変わり、王朝が分立したときには同時に複数の年号があって、役人はともかく、庶民には覚えられない。日本でも明治に一世一元となる以前には事情は同じだった。しかし、60年で必ずひとめぐりする干支は、ゆるぎない時の基準になった。

十二支に鼠、牛、虎などの動物をあてはめたのは前2世紀頃という。それも東アジア漢字文明圏に共通のもので、暦を身近なものにした

儒教

中華世界の基本思想となった
孔子の聖人君子の教えとは

🔵 人の本性は善か悪か

儒教の開祖の孔子（紀元前５５２／または前５５１～前４７９年）は春秋戦国時代の魯という小国に生まれました。中国が大小の国々が分立し、争っていた時代です。

このような時には、味方になる国と同盟を結ぶことがよくありますが、その相手に裏切られるとたまりません。そうしたことから春秋戦国時代には人間をどう考えるかということから、前述の諸子百家が現れました。大きく分けると、人間の本質は善とみるか悪とみるかで性善説と性悪説になります。性悪説に立つのは法家とよばれる

儒教が中華世界の
基本思想になるまでの
波乱の物語

中国古代の
シャーマニズム
死と霊魂の分離
祖先・祖霊崇拝
家族の葬式儀礼

1 儒教誕生
孔子が儒教として
体系化　人徳による
社会規範の教え

儒教の5つのキーワード
「五常」という

仁によって欲得から離れ、世の人のために尽くすこと

仁　人を愛し、人を思いやる仁愛ともいう

義　**智**　**礼**

道理をわきまえる

仁を行動で示すことが礼。相手に敬意を払って接する

信　仁により、人を欺かず、約束を守り、誠実であること

孝　五常が孝につながる

家族・社会・国家に孝を尽くすことで、安定した国家が生まれる

4 儒教は始皇帝により弾圧される
焚書（ふんしょ）・坑儒（こうじゅ）の受難

始皇帝は強力な中央集権国家運営を目指し、その統治理念として法家の思想に強く影響された

始皇帝
（紀元前259～紀元前210年）
古代中国の戦国時代の秦の第31代君主。中国の歴史で最初に国家統一を果たした

法家の
思想に
引き継
がれる

3 孟子の死後、荀子が登場する

荀子（じゅんし）
（紀元前298？～
紀元前238年以降）
人間性悪説を唱える。人間の欲望は果てしなく、社会規範がないと世は治らないとし、後天的に学問を修め善へ向かわなくてはならないと説いた

人間には法律が必要だ

2 孔子の死後、孟子が登場する

孟子（もうし）
（紀元前372？～
紀元前289年?）
戦国時代の儒学者。孔子の思想を性善説として深化させ、仁義による王道政治を説いた

君子も庶民も、その性の善なることでは平等である

人々です。人間はほうっておくと悪いことばかりするので、厳しく法を定めて国を安定させなければならないという考え方です。

それに対して孔子は性善説に立ち、さらに孟子がその立場を強めました。

◯ 君子の道

孔子は「仁（他人を思いやる徳）」を説き、「礼」を重視して左下図の徳目を示しました。それが儒教のもとになります。

しかし、小人（普通の人）は仁も義（正しさの徳）も乏しいものです。それゆえ、人々を治める王や官吏は小人であってはなりません。徳による治世をおこなえば国は栄え、人民も幸福に暮らせるはずです。孔子はそのように言い、春秋戦国時代の王や諸侯に迎えられて君子（徳の高い人）の道を説きました。

そのためには学を修めなければなりません。そこで四書五経が基本図書とされました。この「仁」と「義」の道は、のちに日本にも大きな影響を与えます。

5 漢の武帝が儒教を復活させて、国家の学問となる

武帝
北方の匈奴を打ち、積極的な政治をおこなう。そのためには、国家統一の理念のある儒教が最適である

儒教を漢帝国の国教教学とすることを武帝に提案し、採用される。儒教の教授のための五経博士も登場

董 仲舒
（とう ちゅうじょ）
（紀元前176？〜紀元前104年）
前漢時代の儒学者

6 儒教の基本経典 四書五経が整う

四書		五経

大学 君子の学習法を論じる	詩経 前470年頃成立した中国最古の詩歌全集	中庸 道徳の原理、普遍の道理を論じた
易経 古代の占星術の書	春秋 孔子が記した魯国の歴史書	書経 古代からの政令集
孟子 孟子の仁義に関する思想	礼記 戦国時代以前の礼儀	論語 孔子の談話、発言、弟子たちの発言が記されている

7 唐代には、儒教は科挙試験科目となる

科挙は唐の官僚登用試験
競争率3000倍とも言われる、最難関の試験制度。清朝まで継続した、世界最大のエリート養成制度でもあった

儒教は東アジアの漢字文化圏の基本教養ともなった

8 11世紀の宋代、儒教の革新運動が朱子学を生む

世界の実相を哲学的に探求し、宇宙・万物の生成の仕組みを「気」と「理」の理論で体系化した

朱 熹（しゅき）
（1130〜1200年）
南宋の官吏。朱子と尊称された

9 明代に、朱子学を批判して陽明学が生まれる

王陽明が朱子学を批判し、庶民でも聖人でありうると、知行一致の過激な行動主義を説く

王 陽明
（おうようめい）
（1472〜1529年）
中国明代の儒学者

朱子学、陽明学は日本の近世の知識人の基本教養として、大きな影響を与えた

Part 4
古代中国の宗教
8

漢詩の世界

古代中国の教養人とは
漢詩を詠む詩人であること

◯ 詩は教養の基本

漢詩は中国の伝統的な詩です。俳句や短歌が日本語が自然にもっている五七五のリズムで作られているように、漢詩は中国語のリズムで作られています。

中国の詩は、祭りで祝詞のように唱えた

り舞い踊る歌のように古い時代から作られていましたが、唐(618〜907年)の時代に多くの優れた詩人が現れて発達し、漢詩の形が定まりました。

中国では漢詩をうまく作ることが貴族や官吏の重要な素養でした。詩の集いで、その日の題に合わせて、うまく詩を詠むと、

李白の『静夜思』は
五言絶句で
代表される詩
中国の人々は
誰でも知っている

床前看月光
疑是地上霜
挙頭望山月
低頭思故郷

『静夜思』の読み下し文

床前(しょうぜん)月光を看る
疑うらくは是(これ)地上の霜かと
頭(こうべ)を挙げて山月(さんげつ)を望み
頭を低(た)れて故郷を思う

李白(701〜762年)
唐代の詩人。一時、朝廷に仕えたこともあるが、生涯を放浪に生きた。「詩仙」ともよばれる。有名な詩『静夜思』にうたわれている故郷がどこか不明である

杜甫(712〜770年)
唐代の詩人。日本でも有名な『春望』の作者。杜甫は皇帝や朝廷の高官に自作の詩を提出し役人になった。756年5月、唐の都の長安は安禄山の軍勢に攻撃されて陥落した(安禄山の乱)。『春望』はその時の作

杜甫の『春望』は
日本人でも知っている
五言律詩の名句

国破れて山河(さんが)在り
城春(じょうしゅん)にして草木(そうもく)深し
時に感じて花に涙を濺(そそ)ぎ
別れを恨んで鳥に心を驚かす
烽火(ほうか)三月(さんげつ)に連なり
家書(かしょ)万金(ばんきん)に抵(あた)る
白頭(はくとう)掻(か)けば更に短く
渾(すべ)て簪(しん)に勝(た)へざらんと欲す

国破山河在
城春草木深
感時花濺涙
恨別鳥驚心
烽火連三月
家書抵万金
白頭掻更短
渾欲不勝簪

＊城＝長安の町のこと。　＊烽火＝落城を知らせるのろし。
＊三月＝三日月。
＊家書＝家からの手紙。このとき杜甫は家族を長安の外にうつし、
　　　　自分は長安にとどまっていた。家族の手紙は万金にあたる
　　　　ほど貴重に思う。
＊白頭＝白髪頭。　＊簪＝かんざし。髪の飾り物もさすことができない。

一目置かれ、出世や交際が有利になりました。そのため、中国の宮廷の地位の高い役人は、詩人でもあったのです。

日本から中国に行く使節も、漢詩を学んでいました。そうでなければ、交渉がうまくいきません。とりわけ男性の貴族や僧は漢詩を学び、日本風の漢詩も発達しました。

漢詩の楽しみ方

漢詩はまず、書で楽しみます。掛け軸や屏風に書かれた漢詩を見て鑑賞します。そこには山水の風景が描かれていることも多く、それも楽しみです。

漢詩の読み方は、日本では独自に発展しました。中国の発音には歌うようなリズムがありますが、日本では日本語として意味が通じるよう漢詩を読み下します。そこで日本では、読み下したときに美しく響く日本漢詩が生まれました。

また、日本では読み下しの漢詩を歌う詩吟も発達し、それに合わせて舞う剣舞も楽しまれています。

白居易の『長恨歌』は、唐の玄宗皇帝と楊貴妃の、国を滅ぼすまでの愛をうたった

白居易（772〜846年）
白楽天ともいう。唐の朝廷に仕える高官だった。玄宗皇帝（712〜756年）と楊貴妃（719〜756年）の悲恋をうたった『長恨歌』で有名。それは百二十句もの長い詩なので、ここでは冒頭の八句のみ

一朝選在君王側
迴眸一笑百媚生
六宮粉黛無顔色

漢皇重色思傾国
御宇多年求不得
楊家有女初長成
養在深閨人未識
天生麗質難自棄

『長恨歌』の読み下し文

漢皇（かんこう）色を重んじて傾国（けいこく）を思ふ
御宇（ぎょう）多年求むれど得ず
楊家（ようか）に女（むすめ）有り初めて長成す
養はれて深閨（しんけい）に在り人未（いまだ）識らず
天生の麗質（れいしつ）自（みずか）ら棄（す）て難く
一朝（いっちょう）選ばれて君王の側（かたわら）に在り
眸（ひとみ）を迴（めぐ）らし一笑すれば百媚（ひゃくび）生じ
六宮（りっきゅう）の粉黛（ふんたい）顔色（がんしょく）無し

＊漢皇＝ここでは唐の玄宗皇帝のこと。
＊傾国を思ふ＝国を傾けるほどの美人を求めていた。
＊御宇＝皇帝の世。
＊女有り初めて長成す＝一人の娘が大人になった。
＊深閨に在り人未だ識らず＝屋敷の奥深くで育てられたので、人々は知らなかった。
＊天生の麗質＝生まれながらの美しさ。
＊六宮の粉黛顔色無し＝後宮の美女たちもかなわない。

漢詩の基本構造

絶句と律詩の2種類がある

絶句　4つの句で構成される
律詩　8つの句で構成される

五言絶句
　5語
壱弐参肆伍
壱弐参肆伍
壱弐参肆伍
壱弐参肆伍
└4句┘

七言絶句
　7語
壱弐参肆伍陸漆
壱弐参肆伍陸漆
壱弐参肆伍陸漆
壱弐参肆伍陸漆
└4句┘

五言律詩
　5語
壱弐参肆伍
壱弐参肆伍
壱弐参肆伍
壱弐参肆伍
壱弐参肆伍
壱弐参肆伍
壱弐参肆伍
壱弐参肆伍
└8句┘

七言律詩
　7語
壱弐参肆伍陸漆
壱弐参肆伍陸漆
壱弐参肆伍陸漆
壱弐参肆伍陸漆
壱弐参肆伍陸漆
壱弐参肆伍陸漆
壱弐参肆伍陸漆
壱弐参肆伍陸漆
└8句┘

祀られる英雄

中国の歴史は英雄の物語だ
神として祀られる人もある

◎ 岳飛将軍の話

　中国史の人気の英雄に岳飛将軍（1103〜1142年）がいます。それは宋の王朝の後期、中国北部に遊牧民が金（のちに元）という国を立て、宋は南部にうつって南宋になった時代のことです。岳飛は金の軍隊と戦って勝利を重ねましたが、岳飛の力を恐れた宋の朝廷の宰相に殺されました。その悲劇的な死によって岳飛は忠臣の将軍として祀られるようになりました。

◎ 歴史書の英雄

　中国の歴代王朝は皇帝の命によって歴史

中国人なら誰でも知っている
英雄の筆頭は

岳飛将軍

岳飛の故郷の「岳飛廟」に祀られた岳飛像

12世紀の北宋の末期に登場し、北からの金の侵略を幾度も防衛し、多くの戦いに勝利した将軍として、中国人の敬愛を集めている。国家への忠誠ゆえに、ライバルの陰謀によって命を落とす悲劇的人生も、人気の秘密といえる

中国の英雄の
4つの条件とは

- まず第一に豪傑であること
- そして、義侠の人であること
- 外敵から国を守る救国の人
- 悲劇的な生涯であること

『史記』を書いた司馬遷は、すでに匈奴を撃った将軍たちが、民衆の人気を集めていたことを記している。当時の大将軍「衛青」よりも、若くして病で死んだ霍去病（かくきょへい）が人気なのは、やはり悲劇の人だったからか、とも

中国の冒険小説

明代の14世紀頃に書かれた長編小説。宗の時代の悪政に反旗を翻した108人の豪傑が梁山泊（りょうざんぱく）に結集し、官軍と戦う物語。登場する豪傑たちは、現在でも「農民革命の英雄」として人気がある

九紋龍こと 史進
（ししん）

物語の最初に登場する豪傑。背中に九匹の龍の刺青を背負った美青年で、両刃三尖刃の遣い手で剛勇を誇った

女豪傑の 扈三娘
（こ さんじょう）

良家の令嬢でありながら、梁山泊の女頭領となる。武芸に優れているのはもちろん、馬に跨り日月刀を操り戦場を駆けた

書を編む習わしがありました。その最初は漢の時代に司馬遷（紀元前2〜1世紀）が編んだ『史記』です。『史記』では農民を圧政から救おうと挙兵した項羽と劉邦の戦いが劇的につづられ、項羽と劉邦は英雄として語りつがれています。

戦いは英雄を生みます。魏・呉・蜀の三国が争いあった三国時代（3世紀）の史書『三国志』にも多くの英雄が登場します。それをもとに、明代（14〜17世紀）に『三国志演義』という長編小説も書かれ、英雄はいっそう劇的に語られました。

明代には、架空の英雄豪傑たちの活躍を語る小説『水滸伝』も生まれました。

◎ 物語の力

歴史上の英雄たちの物語は、演劇や映画、現代のアニメにもなり、語りつがれています。その物語は、正義とは何なのか、危機におちいったときの勇気や決断など、多くのことを学ぶものになっています。そこに物語の力があります。

水滸伝の英雄たち

悲劇の好漢 林冲
（りんちゅう）
官軍の将軍だったが奸計に堕ち、囚人として流罪となる。脱出し梁山泊に。梁山泊では蛇矛の遣い手として武術第一の誉。その悲劇的な人生は多くの詩にも読まれ、人気が高い

虎殺しの 武松
（ぶしょう）
行者の姿をした拳法の達人。梁山泊の首謀者宋江と出会い義兄弟の契りを結ぶ。殺人の嫌疑で逃亡中に人喰い虎を退治する

超怪力の 魯智深
（ろちしん）
僧形の怪力の勇者。渾名は花和尚。仏門で期待される僧だったが酒で破門される。山賊を成敗したおりに史進と出会い、梁山泊に参加

三国志の英雄も人気

関羽は神として祀られる
関羽（かんう）は漢末の三国時代に劉備（りゅうび）に仕えた武将。その武勇と忠誠によって、後年に神格化された

関羽は関聖帝君と称され神として祀られている

日本で不人気な曹操（そうそう）が、大人気のわけは
日本人には三国志の悪役のイメージが強い曹操。しかし中国では戦乱の中原を平定し魏の基礎を作った覇者として人気がある

劉備は不人気
日本人に人気の劉備は、曹操の平定を邪魔する悪役

中国人は女性の英雄が大好き

男装の武人 木蘭
（もくらん）
木蘭は老いた父の代わりに、男装して兵役に。フン族との戦いに従軍し武勇を重ねる。12年の戦いの後栄誉が与えられた

穆桂英（ぼくけいえい）は京劇で人気の女将軍
京劇で人気の『楊家将演義（ようかしょうえんぎ）』に登場する架空の女将軍。山賊の一人娘で、楊家の息子と結ばれ、以来、楊家を支え戦い続ける

Part 5
シルクロードの仏教とその他の宗教

中国仏教の華は禅

陸と海のシルクロードで仏教が東へ伝わった

◎ シルクロードは仏教の道

中国西部の新疆ウイグル自治区から西の中央アジアは、古くから西域と呼ばれ、西のローマ帝国と東の中国を結ぶ、交易の路、シルクロードの要衝でした。

シルクロードを辿った中国僧の旅のルート

クムトラ石窟——
シルクロードのオアシス国家亀茲（きゅうじ）国の仏教遺跡。イスラム教と中国共産党による破壊にさらされた。日本政府が保存・修復活動中

ダンダンウィリク遺跡
古代のオアシス仏教国の于闐（うてん）の重要な遺跡。2002年より日本を中心に発掘調査が行われ、貴重な美術品が出土している

莫高窟（ばっこうくつ）
石窟に極彩色の仏教美術の壁画が残る。世界最大の規模

炳霊寺石窟——
（へいれいじせっくつ）
黄河の渓谷に築かれた仏教石窟寺院。西秦末より1000年間にわたり、各王朝が造営を続けた。石窟に残るレリーフが素晴らしい

1 ハミ
天山北路と南路の分岐点。1世紀頃から交通の要衝として、遊牧民と漢民族の争奪の地で、唐が治める前は匈奴の都城だった

3 カシュガル
漢代には西域三十六国のひとつインド・ヨーロッパ語族の白色人種が住む国の国都として栄えた。玄奘三蔵も訪れ、仏教が盛んな都市として記している

2 ヤルカンド
豊かな水資源を持ち交通の要衝として、シルクロードの強国として繁栄した。イスラム教の東進の拠点ともなった

—— 玄奘三蔵のルート
—— 法顕のルート
—— 義浄のルート
—— 主要シルクロード
● 主要仏教遺跡
● 主要オアシス国家

台湾にも渡った

現在はイスラム教徒が多く住む地区ですが、かつては、敦煌、トルファン、ホータンなど多くのオアシスに点在した小国家の人々が、篤く仏教を奉ずる地域でした。彼らにとって仏教は、交易の担い手であるキャラバン商人の安全を守り、国家を守護する宗教でした。現在も、これらの国家の王や商人たちが建設した、寺院を中心とした仏教都市が、発掘され続けています。

仏教の経典は、この路を通ってインドから中国に伝わります。下の地図は、インドの経典を中国に伝えた著名な僧の足跡を記しています。玄奘三蔵の、経典を求めるための長大な旅と、その苦難の結果が、現在私たちが知る多くの仏教の経典です。

ところが中国には、玄奘たちが伝えた元のサンスクリット経典がまったく残っていません。中国では漢字こそ聖なる文字であり、それ以外は聖典として認めなかったため、漢訳が終わると、処分されたのです。

ベゼクリク千仏洞
トルファンの郊外、火焔山の渓谷の石窟。壮麗な壁画によって飾られていたが、主要なものは各国の探検隊によって持ち去られ、現存のものもイスラム教徒による破壊が痛ましい

1 仏教の中心がガンダーラに移りギリシャ風の仏像が作られた

紀元1世紀頃、インダス川の上流域、現在のパキスタン北部の地方ではクシャーナ王朝が勢力を持ち、カニシカ王が仏教を保護した
クシャーナ王朝のガンダーラ地方で、ギリシャ文化との融合によるガンダーラ芸術が花開き、仏陀の姿を表した仏像が初めて制作された。当時は多くの仏教寺院があり、玄奘三蔵、法顕も立ち寄っている

2 仏典の翻訳は、最初期は西域からの僧が担った

竺法護(ダルマラクシャ／239〜316年)
＝西域の民族・月氏の出身
鳩摩羅什(クマーラジーヴァ／350〜409年)
＝亀茲国(新疆ウイグル自治区クチャ市)の出身
「妙穂蓮華経」や「維摩教」など重要な経典を訳した

3 4世紀以降、中国の僧が仏典を求めて次々インドへ旅立っていった

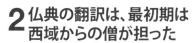

●**法顕**(生没年は不明)
中国の東晋の僧で、インドに経典を求め、399年に長安を出発。往路はシルクロード、帰路は海路で413年に帰着。旅行記『仏国記』をあらわす

●**玄奘**(?〜664年)
玄奘は中国の唐の僧である。インドから大量の経典を中国に持ち帰った。唐の皇帝は玄奘に「三蔵法師」として経典の翻訳にあたらせた。「三蔵」とは仏教の経典類の総称である。玄奘三蔵は都の長安(陝西省西安)の大慈恩寺大雁塔に経典類を納め、漢訳にあたった。また玄奘は旅行記『大唐西域記』をあらわし、シルクロードの国々やインドの寺院のことをくわしく記した。それが『西遊記』のもとになり、孫悟空や西域の妖怪が登場する物語を生んだ

●**義浄**(635〜713年)
唐の時代の僧。671年にインドに向かい、695年に帰国した。その頃には商船の往来が盛んになっており、義浄は往復とも海路をとった。旅行記『南海寄帰内法伝』をあらわす

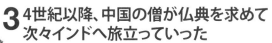

中国化する仏教

道教・儒教と融合し
中国仏教が生まれた

◎ 因果応報の教え

　仏教は後漢の時代の紀元1世紀頃に伝わりました。ブッダは漢字で仏陀と記され、当初は道教の仙人の一人だと考えられるなど、仏教は中国化して、儒教が説く父母への孝を強調するようになりました。逆に

仏教は因果応報の教えを中国にもたらしました。中国では人の運命は天にゆだねられていましたが、仏教では、人それぞれの業（行為）が善悪の結果を生じるとします。その因果応報は死後にも及ぶので、道教の十王が冥府の裁きの王になり、地蔵菩薩の救いも説かれるようになりました。

後漢の頃
西域の僧が
多数訪れ、
仏典の漢訳が
始まった

安世高
パルティア
出身の僧

最初の仏典翻訳者と考えられている

主として部派仏教・禅の経典が翻訳された

鳩摩羅什
中国西域の
クチャ出身の僧侶

401年に長安に至り、仏典の翻訳に従事

『坐禅三昧境』『仏説阿弥陀経』など300巻を翻訳したと伝えられる

5世紀に玄奘の
翻訳が始まる

その翻訳は『大般若経』を始め1347巻に達し、『般若心経』も玄奘訳と考えられている

4世紀頃、サンスクリット原典からの翻訳が始まった

西域の品物に
仏像や経典も
混じっていた
ことだろう

गते गते पारगते पारसंगते बोधि स्वाहा
羯諦　羯諦　　波羅羯諦　　波羅僧羯諦　　菩提　　薩婆訶

1世紀頃から
シルクロードの
商人たちが西域の
品物を運んできた

シルクロード　　**インド仏教**

仏教が
中国化
する時に
起こった
2つの事

多彩な経典が大量に伝わった

仏教が道教・儒教と融合した

仏教の教え
因果応報　輪廻
極楽・地獄

十王と閻魔の誕生

道教
多神教的
神秘思想

儒教
家の
祖先崇拝

中国の伝統宗教が仏教と融合する

1
秦広王
初7日

2
初江王
14日目

3
宋帝王
21日目

人は死後に冥土の王たちの裁きを受ける

人は死んでから次の世に生を受けるまでの間に、生前の罪を十王によって次々と裁かれる。その結果によってはさまざまな世界に送られる

次の
世界

10
五道転輪王
3年目
（三回忌）

9
都市王
2年目
（一周忌）

8
平等王
100日目

◎ 宗派の元になった教相判釈

インドからは多くの経典が伝わりました。ところが、困ったことに、経典によって内容が異なります。そのため何が仏陀の教えなのか、わからなくなりました。そこで教相判釈、略して教判という方法がとられました。

経典の内容がさまざまに異なるのは、仏陀が人それぞれの状況や能力によって教えを説いたからだと考え、経典を比較検討するのが教判です。代表的なのは中国天台山の僧、智顗（538〜597年）の五時八教の教判です。仏陀の教えは5つの時期に説かれたとし、その教えを8つに分類したのです。そして、法華経が仏陀の最終的な教えだとして天台宗を開きました。

また、善導（613〜681年）の二蔵二教の教判は、阿弥陀仏を信じて極楽浄土に生まれることを願うのが人々の救いになるとし、浄土教を開きました。それが宗派の教えの基本になり、日本にも伝わりました。

その結果困ったことも起こった

経典の数が多すぎて、どれが仏陀の重要な教えかわからない

智顗が仏典を分類した

私が仏陀の生涯に合わせて、仏典を分類しよう

智顗は仏陀の生涯を5つの時期（五時）にわけて、それぞれに説かれた教えを8つに分類した。これを五時八教という。仏陀の入滅を伝える涅槃経と法華経が仏陀の最終的な教えに位置づけられた

智顗の五時の分類

けごん **華厳時**	仏陀の初期の教えで、凡人には理解が難しい教え
ろくおん **鹿苑 (阿含)時**	華厳の教えを、巧みな比喩で12年間説いた教え
ほうどう **方等時**	大乗の法門を8年間にわたって説いた教え
はんにゃ **般若時**	方等時より22年間、小乗の人々を導くために説いた教え
法華 涅槃時	仏陀の最後の8年間に『法華経』と『涅槃経』を説いた

日蓮は智顗が『法華経』を最高の教えとしたことによって、日蓮宗を開く

智顗は五時八教の教判により天台宗を開き、その教えは最澄によって日本に伝わり比叡山延暦寺に天台宗が生まれる

智顗が天台宗を開いた天台山国清寺。最澄も、この寺に詣でた

善導の二蔵二教の教判もある

善導（613〜681年）唐代初期の僧。二蔵二教の教判により、劣った人でも念仏によって阿弥陀仏に極楽浄土に迎えられると説き、新たな浄土教を開いた

菩薩蔵 (ぼさつぞう) 大乗仏教の経典	声聞蔵 (しょうもんぞう) 小乗仏教の経典
頓教 (とんぎょう) 素早く救われる	漸教 (ぜんぎょう) 長い修行が必要な教え

菩薩蔵の頓教の教えが浄土教と位置づけられた。日本の浄土真宗などの元となった

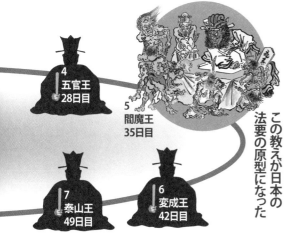

この教えが日本の法要の原型になった

4
五官王
28日目

5
閻魔王
35日目

7
泰山王
49日目

6
変成王
42日目

中国仏教は禅宗のこと

禅宗は中国で独自に発展
仏教と言えば、中国では禅のこと

◎ 禅の始まり

禅は坐禅して心を静かにする修行を積む仏教の一派です。それは仏陀から弟子に無言のうちに伝えられたのが始まりとされ、「拈華微笑」という公案で伝えられています。公案とは名僧のエピソードで、こんな話です。

仏陀が花をつまんで弟子たちに見せました。そのとき、迦葉という弟子だけが顔をくずして笑いました。これによって、仏陀の悟りが心から心へ、無言のうちに伝えられたということです。

その悟りは仏陀から次々と、弟子から弟

中国の禅僧は、禅宗の始まりをこんなエピソードで語る

拈華微笑の公案

仏陀が花を手にして、弟子たちに見せた。みな黙っていたが、迦葉だけ顔をくずして笑った

仏陀は言った。私には正しい悟りの心があり、真実のありかをも知る。この教えは文字による経典とは別に、偉大な弟子である迦葉に委ねる

↓

不立文字・教外別伝

肝心な教えは師から弟子へ、文字ではなく以心伝心(いしんでんしん)で伝えられる

↓

禅宗でも、経典は読誦するが、悟りに至る教えは師から弟子に言葉ではなく直接心に伝えられると説く。この師弟の繋がりを血脈(けつみゃく)という。この血脈は釈迦から現在まで連綿と続いている

↓

釈迦如来(仏陀)→西天二十八祖(迦葉、阿難など……その最後が28祖・菩提達磨)→菩提達磨は中国へ

6世紀初頭、菩提達磨が中国に渡りそこから洛陽で禅を伝えた

達磨は少林寺で壁面に向かい坐禅に入り、その行は9年に及んだ

「面壁九年」

修行僧の慧可(えか)は達磨の弟子となるために、その決意を示し片腕を切り落とした

不立文字　以心伝心

↓

教えは心から心へ

↓

達磨は9年の坐禅で足を失ったと伝えられる

↓

縁起物の達磨人形となっている

菩提達磨
インド人仏教僧、その来歴にはいくつもの伝説がある。西域の出身でペルシャ人、南インドの王家の三男などと称される

子へ伝えられました。そして仏陀から数えて28人目の菩提達磨（達磨大師）が6世紀頃に中国に伝えたとされています。その系譜から禅宗が生まれ、中国で「禅」といえば仏教をさすほど広まりました。

◎ 中国の禅

禅の悟りは、中国語で「悟」といい、突然に、はっと気づくようなことをいいます。それはインドで煩悩を消し去るニルヴァーナ（涅槃）を悟りとしたのとは大きく異なります。インドで

は泣いたり笑ったりすることは煩悩とされましたが、禅宗ではそうした人間の感情を大きく肯定します。そして、「悟」は人間の心にあるとして、禅宗を「仏心宗」といいました。

◎ 生活が禅

禅宗の僧は畑仕事をしたり料理をしたりして働きます。これもインドとは異なります。インドでは農作業は虫を殺してしまうので、僧はしません。しかし、禅宗ではそうした仕事も大事な修行とされました。

第六祖選出の時、大事件が起きる

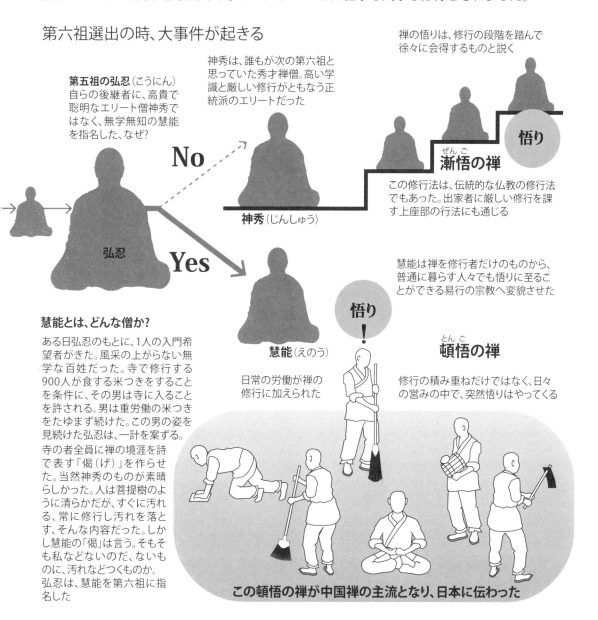

第五祖の弘忍（こうにん）
自らの後継者に、高貴で聡明なエリート僧神秀ではなく、無学無知の慧能を指名した、なぜ？

弘忍

No

神秀は、誰もが次の第六祖と思っていた秀才禅僧。高い学識と厳しい修行がともなう正統派のエリートだった

神秀（じんしゅう）

禅の悟りは、修行の段階を踏んで徐々に会得するものと説く

悟り

漸悟（ぜんご）**の禅**

この修行法は、伝統的な仏教の修行法でもあった。出家者に厳しい修行を課す上座部の行法にも通じる

Yes

慧能とは、どんな僧か？
ある日弘忍のもとに、1人の入門希望者がきた。風采の上がらない無学な百姓だった。寺で修行する900人が食する米つきをすることを条件に、その男は寺に入ることを許される。男は重労働の米つきをたゆまず続けた。この男の姿を見続けた弘忍は、一計を案ずる。寺の者全員に禅の境涯を詩で表す「偈（げ）」を作らせた。当然神秀のものが素晴らしかった。人は菩提樹のように清らかだが、すぐに汚れる、常に修行し汚れを落とす、そんな内容だった。しかし慧能の「偈」は言う。そもそも私などないのだ、ないものに、汚れなどつくものか。弘忍は、慧能を第六祖に指名した

慧能（えのう）

日常の労働が禅の修行に加えられた

慧能は禅を修行者だけのものから、普通に暮らす人々でも悟りに至ることができる易行の宗教へ変貌させた

悟り！

頓悟（とんご）**の禅**

修行の積み重ねだけではなく、日々の営みの中で、突然悟りはやってくる

この頓悟の禅が中国禅の主流となり、日本に伝わった

禅の真髄十牛図

禅の心は禅語と禅画で表される その代表が十牛図だ

禅語・禅画の世界

禅語は禅の心を短く表す語句です。たった1字の「空」「無」、4字の「諸行無常」「色即是空」などから漢詩のように長いものまであります。

禅の境地は水墨画でも表され、禅画といいます。禅宗は生活の中にある仏教なので、和室でも色紙や掛け軸でよく見られます。

「十牛図」は何を表しているのか

よく知られている禅画に「十牛図」があります。その10の場面は、中国の北宋時代の廓庵という禅僧が禅の入門者のために

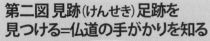

十牛図　廓庵画

第三図 見牛
（けんぎゅう）
牛を見つける

声を聞いてさがせば目でも牛が見つかる

第一図 尋牛
（じんぎゅう）
牛をさがす＝
禅に入門する

初めから失っていないものをどうして追い求めるのか

第二図 見跡（けんせき）足跡を
見つける＝仏道の手がかりを知る

第四図 得牛
（とくぎゅう）
牛をつかまえる

長く野原にいて野生に戻った牛をとらえるには必ず鞭で打て

経典や先人の教えを読んで、その足跡を知る。
その足跡は水辺や林の下のどこにでもある

第五図 牧牛
（ぼくぎゅう）
牛を飼い慣らす

暴れるか暴れないかは自分の心から生じていることだ。手綱を引いて迷いを除け

描いたというのですが、さて、いったい何を表しているのでしょうか。

第一図では、1人の農夫が何やらさがしているようです。「尋牛」という題があるので、牛をさがしています。牛は修行の目的の悟りを表し、農夫はこれから修行する人を表すようです。

第四図でやっと牛をつかまえ、第五図で飼い慣らし、第六図では牛に乗って家に帰りました。とうとう牛を自分のものにしたのです。ところが、第八図では何もない「無」の状態になりました。すると、世界は元のままで何も変わりません（第九図）。結論の第十図では、その農夫が僧の姿になりました。悟りを得たのでしょう。だからといって、僧は寺院にいるのではなく、町の市にいます。世俗の人々の中にいるのです。

この「十牛図」がどういうことなのかは、「十牛図」を見る人がそれぞれ考えねばなりません。第十図の僧はぷっくり太って、福の神の布袋和尚のようです。これも「十牛図」のポイントです。

第六図 騎牛帰家（きぎゅうきか）
牛に乗って家に帰る

牛との格闘は終わり、もはや牛を捕らえようとすることも放すこともない。のどかに木樵の歌を口ずさみ、笛で童歌を吹く

第七図 忘牛存人（ぼうぎゅうそんにん）
牛は忘れ、ただその人がいる

戻ってみれば、牛も人も空＝実体のないものであった。仏法にふたつの真理はない。今は仮に牛を例にしただけである。月の光は遠い過去の仏より前からあるのだから

第八図 人牛俱忘（にんぎゅうぐぼう）
人も牛も忘れる

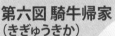

鞭も綱も人も牛も空だとわかった。ここに仏陀と祖師たちが示された禅の極意に至る

第九図 返本還源（へんぽんげんげん）
元の家で本源に還る

本来の自己は清らかで塵ひとつつかない。世の栄枯盛衰を見ながら本来の静けさの境地にいる

第十図 入鄽垂手（にってんすいしゅ）
手を垂れて市に入る

ぶらりと市に行き、杖をついて家に帰る。飄々と酒屋や魚屋にも行って、人々を仏の安らぎに導く

中国仏教が朝鮮・ベトナムへ

中国仏教の広がり
朝鮮半島とベトナムの仏教

◎ 漢字文明圏の仏教

中国仏教の大きな特色は、インドのサンスクリット語の経典を翻訳した漢訳経典が用いられることです。それは朝鮮半島・日本、東南アジアのベトナムにまたがる漢字文明圏に広まりました。

日本への仏教伝来は『日本書紀』に欽明天皇13年（552）のことと記され、「遠くは天竺より、ここ三韓にいたるまで、この教えに帰依していない国はない」と書かれています。朝鮮半島の史書『三国史記』によれば、三韓（高句麗・新羅・百済）の仏教導入は、中国が五胡十六国の王朝分立時代のこと

漢字文明圏への仏教の伝播ルート

モンゴル
雲岡石窟
中国
北京
朝鮮
日本
京都
奈良
洛陽
長安
成都
漢字文明圏
広州
シャム
ラオス
ベトナム
フィリピン
カンボジア

━━ 大乗仏教
━━ 密教
━━ 上座部仏教

漢字文明圏とは?
中国の皇帝から冊封を受けた周辺諸民族の中で、国語として漢字を使用して、中国の政治制度、思想、文化を取り入れ独自に発展させた地域を指す。漢民族のほかに、現在まで国語として漢字を使用しているのは日本のみ

朝鮮半島への仏教伝来

高句麗
372年
仏教伝来
新羅
百済 任那
384年
仏教
伝来
日本

三国時代に仏教が伝来した

高麗
平壤
南京（ソウル）
東京（慶州）
卍
海印寺

新羅が一時朝鮮を統一し、また分裂し、高麗（こうらい）が再統一した

372年 高句麗に前秦の皇帝が僧を派遣し、仏像・経文を送ったと『三国史記』に記されている。これが朝鮮半島への最初の仏教伝来と考えられる

384年 百済には東晋から僧が来訪したことが初伝となる

527年 新羅への伝搬は諸説あるが、高句麗からもたらされた仏教の受容を訴えた異次頓（いじとん）という役人の殉教を経て公認された

統一新羅時代（668〜900年）
新羅は唐と連合し、668年に半島を統一した。歴代の王が仏教を保護し、都の慶州に仏国寺を建立するなど、国家仏教が発展した。しかし新羅末期には朝鮮半島はふたたび三国に分裂した（後三国時代）

高麗が統一国家を成立させる（918〜1392年）

でした。まず、いちばん北の高句麗の王が372年に中国北部の前秦の王から仏像等を下賜されました。いっぽう、半島西南部の百済は海を越えて中国南部の東晋に朝貢し、384年に仏教を導入しました。仏教を奉ずることは、それぞれの同盟関係のしるしでもあったのです。

半島東南部の新羅では、日本と同様に古来の神々の祭祀を重視する廃仏派と崇仏派の争いが続き、王が仏教を公認したのは527年、日本への仏教公伝のすこし前のこ

とでした。以後、朝鮮半島では中国の影響を強く受けながら仏教が定着しました。

◎ ベトナムの仏教

ベトナムは漢字で「越南」と書きます。人口の80%を占めるキン族（京族）は紀元前に中国南部から移動してきたといわれ、今も中国文化の影響が強い国です。東南アジアの他の国々がインド文明の影響を強く受け、上座部とよばれる仏教を伝えているのに対し、ベトナムは大乗仏教の国です。

朝鮮の地政学的な宿命 半島国家は常に大国の脅威にさらされる

高麗国もその典型
40年にわたり
モンゴル軍と戦う

背後に広大な国土を持つ大国が控え、半島の先にある海の向こうには、豊かな海洋国家が控えている。この位置関係が、朝鮮半島に悲劇の歴史をもたらした

仏教は、まず国を守る「力」があるものとして鎮護国家のための宗教として導入された

大蔵経の版木（上）と、所蔵する海印寺

大蔵経は仏教の経典類の大全集である。経典には国と人々を守る力があるとされるが、高麗では鎮護国家の要として経典を印刷する膨大な版木がつくられた。モンゴルの侵攻を受けて大蔵経の木版が焼き払われたことがあったが、ふたたび制作を続け、15年の歳月と莫大な費用をもって完成させた。その版木が海印寺に残され、1955年、世界遺産に登録された

2000年前
後漢から独立を勝ち取った姉妹はハノイの寺に祀られている

西暦40年、徴側（チュン・チャク）と徴弐（チュン・ニ）の姉妹は、後漢に対する反乱を指揮。象の軍隊を指揮して戦いに勝利して独立を勝ち取った

反乱はわずか3年で鎮圧されたが、ベトナムの人々は勇敢な姉妹を讃えてお寺にお祀りし、供物を捧げている。写真は姉妹を祀るハノイのハイ・バ・チュン寺

チャン王朝第3代皇帝チャン・ニャン・トン王が、ベトナム仏教を統一し、イエントゥーの寺を建設、その山岳の寺がベトナムの聖地になっている

ベトナムには1世紀頃、中国の政治支配と同時に仏教が導入された。土着の母系神信仰などと融合し、ベトナムの庶民の仏教が形成された

チベット仏教

ヒマラヤ高原の仏教王国 チベットの仏教とその波瀾の歴史

◎ 仏教の伝来と独自の発展

チベットに初めて統一国家をつくったのは7世紀のソンツェン・ガンポ王でした。王は仏教を保護し、チベットが仏教王国になる幕を開きました。それは日本で聖徳太子が仏教の元を開いたのとほぼ同じ時期で、日本と同じ大乗仏教が伝わったのですが、それぞれ異なる仏教に発展しました。

チベットにはヒマラヤ山脈の南のインドから直接仏教が伝わりました。

その後、インドでは仏教が衰退して経典も失われますが、チベットで翻訳された経典が今に伝えられています。

チベット仏教の総本山だったラサのポタラ宮殿

ポタラ宮殿は世界最大の建造物 ダライ・ラマの居城でもあった

ソンツェン・ガンポ王が築いた宮殿の遺跡に、17世紀にダライ・ラマ5世が建設した。標高3,700メートルの地に、13階建て建設面積1万3,000㎡、2000の部屋を持つという、単体では世界最大の建造物。世界遺産に登録されている

サムイェー寺の本堂

1 7世紀前半、吐蕃王朝に仏教が伝播する

ソンツェン・ガンポ王(581年〜649年)が、チベットを統一し吐蕃(とばん)国を立てる。唐とネパールから迎えた2人の妻の勧めで仏教に帰依した

サムイェー寺誕生
8世紀半ば、ティソン・デツェン王の代に国立大僧院サムイェー寺が建立された

仏教が国教となる

2 チベット大蔵経の翻訳が進む

9世紀の前半より、インド仏教の経典がチベット語に翻訳された。元のサンスクリット語から忠実に行われたため、チベット大蔵経には、インドでは失われた原典が保存されていると言われる

チベット仏教の広まり

　チベットには東の中国からも仏教が伝わりました。日本と同様に観音菩薩がよく信仰されています。

　その後、10世紀頃にはタントラとよばれる新たな仏教が流入し始めました。それは仏の秘密に通じるという祈禱色の強い秘密仏教すなわち密教です。

　密教は日本には平安時代に空海（774～835年）が唐から伝えましたが、チベットにはそれ以後に発達した後期密教が伝わりました。それは32～33ページで紹介したタントラ仏教で、タンカとよばれる色彩豊かな仏画や仏像が多彩につくられ、独特な密教美術を生み出しました。

　チベット仏教はモンゴルにも広まりましたが、1951年にチベットは中華人民共和国に併合され、中国の自治区のひとつになりました。その後、教主と仰がれるダライ・ラマ14世はインド北部のダラムサラに逃れ、チベット仏教を引き継いでいます。

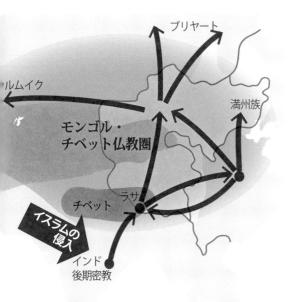

モンゴル・チベット仏教圏

ブリヤート

満州族

ルムイク

ラサ

チベット

イスラムの侵入

インド
後期密教

3 8世紀、2人のインド僧によって、チベット仏教の基礎ができる

シャーンタラクシタ　　　　カーマシーラ

シャーンタラクシタがサムイェー寺を建立。
インド密教のカーマシーラが中国僧との論争に勝利した

チベット仏教の4宗派

ニンマ派

サキャ派

カギュ派　　ゲルク派

ニンマ派の開祖パドマサンバヴァ。チベット密教の祖でもある

帝師パクパ。チベット仏教をモンゴルに布教した

カギュ派の開祖ミラレパ。チベット万人に尊敬されるヨーガ行者

開祖ツォンカパ。ダライ・ラマが属する宗派で、インド後期密教を重視する

4 9世紀、吐蕃王国が衰亡し分裂時代に

チベット仏教は、各地の有力豪族に受け継がれ、主要4つの宗派が生まれ、独自の発展をする

5 13世紀、モンゴル帝国がチベット仏教を保護する

モンゴル帝国のクビライ・ハンは、サキャ派の高僧パクパに篤く帰依し、元帝国の帝師として遇した。このためチベット仏教はモンゴル帝国内に広く伝播し、モンゴル騎馬民族の宗教となる

6 17世紀、ダライ・ラマがチベットの指導者となる

モンゴルのグシー・ハンによって、ダライ・ラマ5世が、チベットの政治・宗教の最高権力者に擁立された

7 満州族の清朝も、チベット仏教を保護した

8 1959年、中国共産党によるチベット侵攻で、ダライ・ラマはインドに亡命する

異端のキリスト教は
シルクロードに逃れ中国に

キリスト教の伝来

キリスト教は紀元313年にローマ皇帝コンスタンティヌス帝によって公認されて以後、ローマ帝国内の諸民族の心をまとめるものとしてヨーロッパ全域さらに中近東地域に広まりました。しかし、それとともに派閥争いや教義論争も起こってきました。

その対立をおさめるために皇帝のもとに神学者たちが集まり大きな会議が開かれました。431年には今はトルコ領内のエフェソスで東ローマ帝国皇帝テオドシウス2世が第3回公会議を開き、ネストリウス派を異端として禁じました。

1 5世紀頃、キリスト教団で
深刻な教義の争いが起きた

2 ネストリウス派
は追放される

ネストリウス(381?~451?年)
アンテオキア派の大主教

キリストの存在は
2つに分けられる説

人格　神格

マリアは人格の
キリストを生んだ

キリスト

**マリアは
神の母ではない**

VS　**大論争**

アレクサンドリアのキュロス
(376~444年)
アレクサンドリア総主教

キリストの存在は
唯一である説

神

一体唯一

人格　神格　子　聖霊

イエス・キリスト

**マリアは
神の母である**

ネストリウス派
を異端とする

テオドシウス
2世

431年に
エフェソス
公会議を
主催する

策謀を巡らし、会議の決定を有利に運ぶ

異端のネストリウス派は
サササン朝ペルシャに亡命する

ソグド商人たちによって、キリスト教は
シルクロードの各地に伝播していった

ソグディアナ

サマルカンド

ササン朝ペルシャ

**ソグド商人とは
なにものだろう?**

中央アジアのイラン系の人々で、紀元前よりユーラシア大陸の中央部で、東西交易の主要な役割を担った。キャラバンを組み、危険な陸路の安全のためオアシスに拠点を作った。唐代にはシルクロードの交易の主役として、宗教・文化の伝播にも貢献した

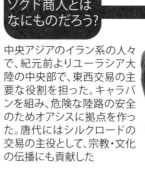

キリスト教では「神と子（イエス）と聖霊」を三位一体のものとして祈りますが、ネストリウス派は「神と子は同じものではない。マリアは救世主キリストを生んだが、神を生んだのではない」と主張したのです。

ネストリウス派はローマ帝国内では布教を禁じられて東方に向かい、シルクロードをへて唐の都の長安（現在の西安）にいたりました。これが中国へのキリスト教伝来の最初で、中国では景教とよばれました。

そのころ中国には道教・儒教・仏教が広まっていました。景教は弾圧されたこともあり、中国からは消えていきました。

◎ その後のキリスト教

その後、日本にフランシスコ・ザビエルが来た16世紀にはイエズス会によってカトリックが中国にも布教されました。さらに19世紀にはイギリスが中国に勢力を広げ、プロテスタントの伝道がはじまります。また、北方からロシア正教が中国の東北部を中心に広まりました。

3 635年、唐にキリスト教が正式に伝わり皇帝太宗が、宣教を許可した

ペルシャ人司祭「阿羅本」が率いる宣教師団が唐での布教をはじめる

唐朝第2代皇帝
太宗季世民
(598～649年)
隋朝の滅亡時に挙兵し、長安にて唐を建国した。出身が北方民族の非漢人で自由な気風をもち、異文化にも理解が深かった

キリスト教は「景教」と呼ばれた中国語で「光の信仰」の意味

↑弾圧

長安（西安）

唐

武則天
(690～705年)
唐代唯一の女帝
690年、帝位に就いた武則天は仏教を重んじ、景教を弾圧した

公認

638年 景教は唐により公認される

聖書は最初ソグド語に翻訳された。その一部が敦煌の遺跡より出土している

聖書も中国語に訳された

景教経典。中国語に翻訳された最古のもの

4 8世紀頃「景教」は全盛期を迎える

第9代皇帝玄宗
(685～762年)

玄宗によって「景教」は再び保護される。745年には東ローマ帝国からの使節ゲワルギスが訪れる

保護

唐の資金援助で大秦寺(教会)が各地に建てられる

781年「大秦景教流行中国碑」が建立される

景教の教義、中国への伝道の経緯などが記された記念碑。長安の大秦寺に建立された。写真は拓本

↑弾圧

845年
第18代皇帝武宗
「景教」を弾圧する
道教を重視した武宗は、仏教、景教など外来宗教を弾圧

景教はこのために中国では消滅する

ムスリム商人は陸と海から中国を目指しその通り道にイスラム教を根づかせた

◎ 中国へのイスラム教の伝来

　紀元610年頃にアラビアの商人ムハンマドによって開かれたイスラム教は、中国では回教（かいきょう）といい、7世紀には中国に伝わったとされます。8世紀頃にはシルクロードの中央アジア全体に広まりました。

◎ 世界に広まったムスリム商人

　イスラム教では、唯一（ゆいいつ）の神アッラーに祈る仲間をウンマ（イスラム共同体（きょうどうたい））といいます。そこでは国や民族の違いを超えて、アラビア語が共通の言語として使われました。0から9までのアラビア数字も共通（きょうつう）で

610年頃　ムハンマドが
神の啓示を受ける

622年　ヒジュラ元年
ムハンマドたちはメッカを脱出

632年　ムハンマド死去
正当カリフの時代

661年
ウマイヤ朝成立

750年　アッバース朝成立
バグダードの繁栄

8世紀頃のシルクロードでは交易の主役がイスラム教徒に替わった

シルクロードの

キャラバンの商人が
ソグド人
↓
アラビア人
に交代した

ローマ
コンスタンティノープル
地中海
ビザンツ帝国
サマルカンド
チュニス
ダマスカス
トリポリ
バグダード
ヘラート
アレクサンドリア
カイロ
アッバース朝
ホルムズ
メディナ
マスカット
アッバース朝第2代カリフ
マンスール(712~775年)
アスワン
メッカ

海のシルクロードを独占

アデン

当時のバグダードは人口150万人を持つ世界貿易の中心都市。中国との交易も最大規模になり、アラビア文化の花が咲いた

『千夜一夜物語』も誕生した

東西学問の
研究所
「知恵の館」
が作られた

医学
天文学
錬金術
数学
化学技術
文学

す。これにより商人たちには取引の帳簿が共通になり、非常に便利なことでした。

そのうえ、イスラム教国共通のイスラム法（シャリーア）があり、取引する相手を信用することができました。ムスリム商人たちはアジアからアフリカにかけて活動の場を広げ、イスラム教の国々に大きな富をもたらしました。その交易は陸路のシルクロードだけでなく、『アラビアン・ナイト（千夜一夜物語）』の「シンドバッドの冒険」のように、ムスリム商人の貿易船はインド洋を行き交い、東南アジアから中国にも進出しました。

◎ 中国のイスラム教

イスラム教徒（ムスリム）は中国に貿易の利益のほか、進んだ医学や天文学をもたらしましたが、漢民族にとっては胡人（西方の異民族）の宗教です。そのため、弾圧もおこなわれました。現在の中国でも、イスラム教徒が多い西部の新疆ウイグル自治区では、住民が厳しく監視されています。

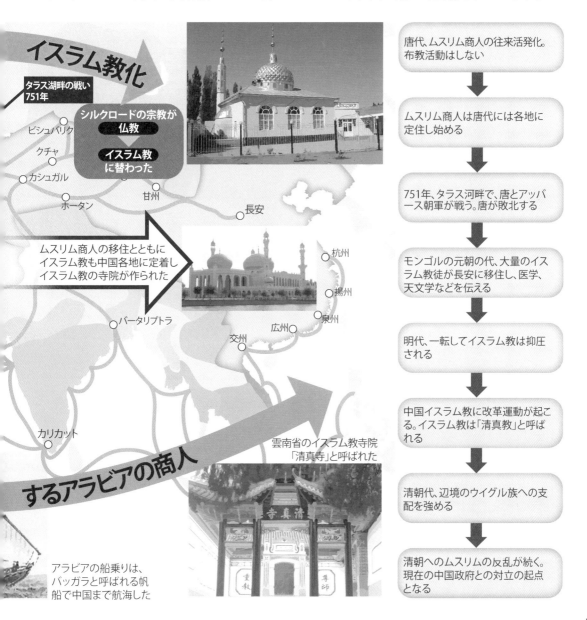

イスラム教化

タラス湖畔の戦い
751年

ビシュバリク
クチャ
カシュガル
ホータン
甘州
長安

シルクロードの宗教が
仏教
イスラム教
に替わった

ムスリム商人の移住とともにイスラム教も中国各地に定着しイスラム教の寺院が作られた

杭州
揚州
泉州
広州
交州
バータリプトラ

カリカット

するアラビアの商人

アラビアの船乗りは、バッガラと呼ばれる帆船で中国まで航海した

雲南省のイスラム教寺院「清真寺」と呼ばれた

唐代、ムスリム商人の往来活発化。布教活動はしない

↓

ムスリム商人は唐代には各地に定住し始める

↓

751年、タラス河畔で、唐とアッバース朝軍が戦う。唐が敗北する

↓

モンゴルの元朝の代、大量のイスラム教徒が長安に移住し、医学、天文学などを伝える

↓

明代、一転してイスラム教は抑圧される

↓

中国イスラム教に改革運動が起こる。イスラム教は「清真教」と呼ばれる

↓

清朝代、辺境のウイグル族への支配を強める

↓

清朝へのムスリムの反乱が続く。現在の中国政府との対立の起点となる

中国革命と宗教

現代中国の宗教
統制下でもお寺はにぎわう

◎ 中華人民共和国の誕生

1945年に第二次世界大戦（太平洋戦争）が日本の敗戦で終わったあと、中国では共産党軍と国民党軍の間で内戦が始まりました。その結果、共産党が勝利し、1949年10月1日に毛沢東が中華人民共和国の建国を宣言。これが現在の中国です。

中国は憲法によって共産党が国家を治める仕組みになっています。その政策は時期によって激しく動揺してきました。

たとえば国家主席の毛沢東が発動した文化大革命の時期（1966〜1976年）には、「造反有理（造反に理あり）」というスロー

清朝崩壊以降の出来事

1911年	辛亥革命。孫文らが中華民国を樹立。アジアで最初の共和政国家を樹立した
1921年	中国共産党結党
1932年	中国東北部に日本が満州国を建国
1937年	日中戦争が始まる 国民党と共産党が共同で日本と戦う
1945年	第二次世界大戦（太平洋戦争）で日本敗戦
1946年	国民党と共産党の戦いが始まる（国共内戦）
1949年	国共内戦に共産党勝利 中華人民共和国成立
1950 〜52年	朝鮮戦争 中国も参戦
1958年	毛沢東、大躍進運動開始 数千万人の餓死者がでる
1966年	文化大革命始まる
1972年	日中国交正常化
1976年	毛沢東が死去し、文化大革命が終わる
1978年	鄧小平により改革開放政策が始まる

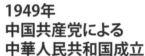

**1949年
中国共産党による
中華人民共和国成立**

**毛沢東の
独裁政治の確立**

毛沢東

宗教を羽織った
反革命分子を
攻撃せよ

**共産党による
宗教の統制**

**1950年
愛国宗教
組織を設立**

紅衛兵の暴挙

宗教を国家の
管理・監督下に

**中国の伝統
文化の破壊
宗教施設・
文物の破壊**

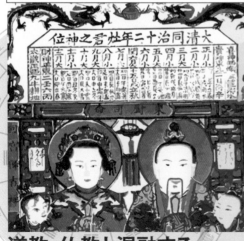

**道教・仏教と混融する
中国の豊かな民間信仰世界**

ガンのもとに紅衛兵とよばれる青少年の運動によって伝統的な権威や文化が否定され、各地で仏教・道教の寺院が破壊されました。

◎ 現代中国の宗教

宗教は多くのばあい、その社会の伝統的な価値観や習慣と結びついています。そのため、共産主義は無宗教の立場をとりますが、中国の憲法では信教の自由が認められています。それでも、公認されているのは仏教、道教、イスラム教、キリスト教のカトリック、プロテスタントの5つの宗教です。

そうして統制されるなかでも、非公認の教会などの信徒になる人も多くいます。1990年代には法輪功という新宗教が大きな団体に成長し、その動きを警戒した政府に弾圧されました。民族文化と結びつきが強いチベット仏教や西部のイスラム教徒も強く統制されています。いっぽう、個々の仏教寺院や道観（道教寺院）には、幸福祈願や先祖の祭りをするために多くの人々が参拝しています。

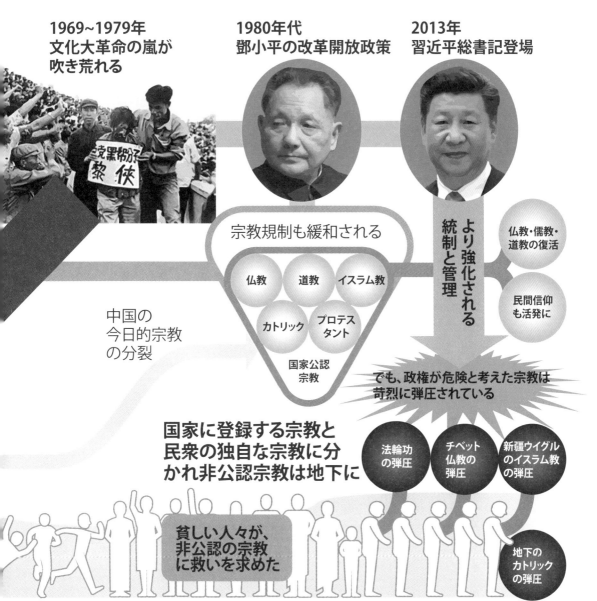

1969~1979年
文化大革命の嵐が吹き荒れる

1980年代
鄧小平の改革開放政策

2013年
習近平総書記登場

中国の
今日的宗教
の分裂

宗教規制も緩和される

仏教　道教　イスラム教

カトリック　プロテスタント

国家公認宗教

より強化される統制と管理

仏教・儒教・道教の復活

民間信仰も活発に

でも、政権が危険と考えた宗教は苛烈に弾圧されている

国家に登録する宗教と民衆の独自な宗教に分かれ非公認宗教は地下に

法輪功の弾圧

チベット仏教の弾圧

新疆ウイグルのイスラム教の弾圧

地下のカトリックの弾圧

貧しい人々が、非公認の宗教に救いを求めた

シルクロードの東の日本
そこで花開いたオリエントの宗教と文化

● ユーラシアとシルクロード

　ヨーロッパとアジアを合わせた広大な地域を「ユーラシア」といいます。そこを東西につらぬくシルクロード（絹の道）は、交易ルートであるとともに、各地の文化が伝えられた道でもありました。

● 日本はシルクロードの終点

　ユーラシアの中で、西ヨーロッパから見た東方世界をオリエントといいますが、日本では特に西アジア方面をさします。
　奈良の法隆寺にはギリシャの神殿建築のエンタシス（中央部のふくらみ）が見ら

東の辺境の、しかも島国の日本
ここに、オリエントの宗教と文化が集積された

仏教　主として大乗仏教

ヒンドゥー教の神は、
仏教に習合されて伝わる

中国文明

道教　陰陽道

仏教　天台、密教、禅

儒教

日本

インド文明

東南アジアの
神話世界
自然崇拝

日本人の心の基底にある
自然崇拝・祖霊信仰は
東南アジア、そして大陸からもたらされた

 栄西・道元によって禅仏教が伝わる

 最澄・空海によって中国密教が伝わる

 538年　日本に仏教が伝来する

 中国古代の陰陽道・道教などが浸透してくる

 東アジアの神話世界、稲作の神々の渡来

れ、正倉院にはペルシャから伝わった文物があるなど、オリエントの文化は飛鳥・奈良時代から日本に伝わっていました。日本にはユーラシア大陸の東西のさまざまな文化が古代から伝わり、混合して日本独自の文化がはぐくまれました。そのため、日本はシルクロードの終点といわれます。

● インド文化と中国文化

4～7ページで見たように、ユーラシアではさまざまな文化がおこりました。その大きなものは「文明」とよばれます。

ユーラシアの東部で特に大きな影響を与えたのはインドと中国の文化でした。インドの文化は南アジアと東南アジアに伝わり、ヒンドゥー教と上座部仏教が広がりました。いっぽう、中国の文化は、ベトナムから東方の東アジアに広まりました。日本の仏教も中国を経由した大乗仏教です。

日本の文化の基層には古い自然信仰（古神道）があり、その上にインドと中国の文化が重層的に重なりました。

日本独自の大乗仏教の誕生と興隆

日本独自の禅仏教と禅芸術へ

天台・真言の日本密教へ展開

仏教が鎮護国家の宗教へ

日本人の民間信仰、祈祷・占いへ

日本の古神道の世界へ

日本はまるで
巨大なパンケーキのよう
オリエントの宗教と
文化が積み重なっている

おわりに

ユーラシア大陸の人類史から知る 東の文明が世界を豊かにするとき

15世紀半ば、コロンブスがスペインの港から船出しました。ポルトガルからも、ヴァスコ・ダ・ガマが後を追って船出します。ともに目的地はインドでした。ユーラシア大陸の西の辺境に位置する、現在ヨーロッパと呼ばれる諸国から、オリエントと呼ばれる東を目指しての大航海時代の始まりです。

なぜ彼らは、粗末な小型の帆船に乗り、空白だらけの海図を手に命をかけた航海に乗り出したのか。それは、彼らの目指すユーラシア大陸の東側のオリエントには、巨万の富と文明の花開いた国々があったからです。現在知られている資料からの推測では、例えば10世紀頃の世界の富の80%近くがオリエント諸国にありました。

1498年5月20日、ヴァスコ・ダ・ガマ一行は、インドの西海岸のカレクト王国に到着しました。早速一行は王宮に招かれます。このときヴァスコ・ダ・ガマが持参した贈り物があまりにも貧しく、王国の人々の失笑を買ったと記録されています。

本誌は、大航海時代の冒険者たちが目指した、ユーラシア大陸の東側の文明についてページを展開してきました。人類の歴史を農耕を始めてからの1万年として、そのうちの9600年間、文明と富の豊かさで世界の中心であった、主としてインドと中国の文明について扱っています。そして、それらの文明を理解するために必須である、宗教について知

るために、多くのページを使っています。これらの国の人々の精神活動は、バラモン教、仏教、ジャイナ教、ヒンドゥー教、イスラム教、そして中国の道教、陰陽道、儒教、などのオリエントの宗教によって導かれてきたからです。

18世紀、世界の様相は一変します。西側の辺境の国々が、まず武力によって、そして近代的科学思想によって世界を席巻します。このときから、それまで世界の中心であったオリエントは、時代遅れの社会として顧みられなくなりました。

しかし、21世紀もはや四半世紀を過ぎようとして、また世界は大きな変化のときを迎えているようです。これまで世界を主導してきたユーラシア大陸西側世界の、近代科学思想、資本主義経済とその産業構造に限界が見えてきたからです。その限界は、地球環境の温暖化、地球規模の経済的不平等に顕著です。

そんな折、インドの人口が中国を超え世界1位となり、両国合わせて28億人を超えました。これにアジア全域を加えると、世界の人口の6割以上をユーラシア大陸の東側の人々が占める時代が到来しました。この膨大な人口が、これからどのような豊かさを求めていくのか。大袈裟に言えば、これが人類の将来を決めることとなるでしょう。そのためにも、私たちは今一度、かつての豊かさを創ったオリエントの宗教を見直すときにきていると、言えるのではないでしょうか。

参 考 文 献

『リグ・ヴェーダ賛歌』(辻直四郎訳、岩波文庫)

『シルクロード入門』(長澤和俊監修、東京書籍刊)

『タントラの世界』(フィリップ・ローソン著、青土社刊)

『インド文明の曙』(辻直四郎著、岩波文庫)

『インド細密画への招待』(浅原昌明著、PHP研究所刊)

『生活の世界歴史5 インドの顔』(辛島昇・奈良康明著、河出書房新社刊)

『アジア仏教史・インド編』(中村元・笠原一男、金岡秀友監修・編集、佼成出版社刊)

『ウパニシャッド』(辻直四郎著、講談社刊)

『<文化>としてのインド仏教史』(奈良康明著、大正大学出版会刊)

『ヒンドゥー教』(M・B・ワング著、青土社刊)

『世界歴史の旅 ヒンドゥーの聖地』(立川武蔵著、山川出版社刊)

『ヒンドゥー教』(森本達雄著、中央公論新社刊)

『シルクロード 流砂に消えた西域三十六か国』(中村清次著、新潮社刊)

『世界史リブレット オアシス国家とキャラヴァン交易』(荒川正晴著、山川出版社刊)

『ジャイナ教—非所有・非暴力。非殺生 その教義と実生活』(渡辺研二著、論創社刊)

『物語 チベットの歴史-天空の仏教国の1400年』(石澤裕美子著、中央公論新社刊)

『チベット密教 ちくま学芸文庫』(ツルティム・ケサン・正木晃著、中央公論新社刊)

『ダライ・ラマの仏教入門～心は死を超えて存在する(知恵の森文庫)』(ダライ・ラマ十四世著、光文社刊)

『チベット密教の瞑想法』(ナムカイ・ノルブ著、法蔵館刊)

『インド後期密教 上・下』(松長有慶編・著、春秋社刊)

『チベット滞在記』(多田等観著、牧野文子編、講談社刊)

『インド密教史』(田中公明著、春秋社刊)

『新アジア仏教史1 仏教出現の背景』(奈良康明・下田正弘・編集、佼成出版社刊)

『新アジア仏教史2 仏教の形成と展開』(奈良康明・下田正弘・編集、佼成出版社刊)

『新アジア仏教史5 文明・文化の交差点 中央アジア』(奈良康明・石井公成・編集、佼成出版社刊)

『新アジア仏教史10 漢字文化圏への広がり 朝鮮半島・ベトナム』(奈良康明・石井公成・編集、佼成出版社刊)

『仙境往来 神界と聖地』(田中文雄著、春秋社刊)

『不老不死 仙人の誕生と神仙術』(大形徹著、講談社刊)

『諸子百家』(湯浅邦弘著、中央公論新社刊)

『諸子百家の事典』(江連隆著、大修館書店刊)

『道教史』(窪徳忠著、山川出版社刊)

『中国神話・伝説大事典』(袁珂著、大修館書店刊)

『中国神話・伝説人物図典』(瀧本弘之編著、遊子館刊)

『中国の歴史』(宇都木章監修、東京美術刊)

『中国現代史』(中嶋嶺雄編、有斐閣刊)

『三国史記1～4』(金富軾著、平凡社刊)

『世界の神話伝説図鑑』(フィリップ・ウィルキンソン編、原書房刊)

『世界神話大図鑑』(アリス・ミルズ監修、東洋書林刊)

『世界の宗教大図鑑』(ジョン・ボウカー著、河出書房新社刊)

『ヴェーダーンタ思想の展開―インド六派哲学(決定版 中村元選集)』(中村元著 春秋社刊)

参考にしたWebサイトなど

https://www.worldhistory.org/Brahmanism/

https://study.com/academy/lesson/brahmanism-beliefs-evolution-into-early-hinduism.html

https://www.oxfordreference.com/display/10.1093/oi/authority.20110803095523794

https://www.ritsumei.ac.jp/acd/cg/lt/rb/667/667PDF/murakami.pd

https://www.jstage.jst.go.jp/article/easoc/2019/10/ 2019_11_27/_pdf/-char/ja

https://1000ya.isis.ne.jp/1443.html 松岡正剛の千夜千冊より

http://www.peopleschina.com/maindoc/html/guanguang/yichan/200301/tiantan.htm

https://contest.japias.jp/tqj2000/30256/ethnology/god/veda/names.html

https://en.wikipedia.org/wiki/Kosala

https://en.wikipedia.org/wiki/Kalinga_War

https://en.wikipedia.org/wiki/Avanti-Magadhan_War

https://en.wikipedia.org/wiki/Pataliputra

https://www.hindupedia.com/en/Sankhya_darsana

https://en.wikipedia.org/wiki/Kanāda_(philosopher)

https://en.wikipedia.org/wiki/Hindu_philosophy

https://www.nippon.com/ja/japan-topics/b09402/

https://www.jstage.jst.go.jp/article/ibk1952/28/1/28_1_22/_pdf/-char/ja

https://en.wikipedia.org/wiki/Kali

https://www.britannica.com/topic/Nataraja

他多数

14歳から読める！わかる！カラー図版満載!!

※印は社会応援ネットワーク著

『図解でわかる
14歳からの 地政学』
シフトチェンジする旧大国、揺らぐEUと中東、そして動き出したアジアの時代。これからの世界で不可欠な「平和のための地政学的思考」の基礎から最前線までをこの1冊に！
鍛治俊樹・監修　定価(本体1500円＋税)

『図解でわかる
14歳からの 宇宙活動計画』
旅する、はたらく、暮らす、知る…。宇宙はどんどん身近になる。2100年までの宇宙プロジェクトはもう動き出している。その時、きみはどこにいる？　定価(本体1500円＋税)

『図解でわかる
14歳からの 自然災害と防災』※
「こんな時はどうしたらいい？」日頃の備えから被災時の対応の仕方まで、中高生からリクエストの多かった質問、身近で素朴な疑問に専門家がこたえます。防災を自分事として考えてみよう！
諏訪清二・監修　定価(本体1500円＋税)

『図解でわかる
14歳から考える 民主主義』
民主主義の危機って、どういうこと？　民主主義の基礎から、ITとAIによるデジタル直接民主主義まで。これからの世代のための、民主主義の作り直し方。　定価(本体1500円＋税)

『図解でわかる
14歳からの ストレスと心のケア』※
悲しいニュースをみると胸が苦しくなる…。スマホが近くにないと不安…。家族、友だち関係、いじめ、トラウマ、鬱…、さまざまなストレスに向き合い、解決に導く1冊！
冨永良喜・監修　定価(本体1500円＋税)

『図解でわかる
14歳からの 金融リテラシー』※
円高や円安ってどういうこと？　NISAって何？　将来、何にお金がかかるの？ 基礎的な金融用語から、投資の基本知識、お金のトラブル事例や対処法まで、私たちの生活に関わる「お金」の疑問に答え、図解で解説！　定価(本体1500円＋税)

『図解でわかる
14歳から知る 裁判員裁判』
18歳から参加できるようになった裁判員裁判。「法律の専門家ではない私たちだから、できることがある」(周防正行)。裁判の基礎知識からシミュレーションまで。人を裁くことへの向き合い方。　周防正行・序文、四宮啓・監修　定価(本体1500円＋税)

『図解でわかる
14歳から学ぶ これからの観光』※
観光×地方創生、決定版！観光×SDGs、観光×地域活性化…「観光教育」の決定版！観光は平和へのパスポート。世界中の人々が観光で互いに理解を深め、誤解や差別・偏見を無くしていくことが、平和な社会の実現に。　定価(本体1500円＋税)

『図解でわかる
14歳からのLGBTQ＋』※
さまざまな性のあり方を知れば、世界はもっと豊かになる。4つの身近なテーマと32の問いで、ジェンダー問題をより深く、より正しく知る。
定価(本体1500円＋税)

『図解でわかる
14歳から知るごみゼロ社会』
SDGsの超基本。ごみの本質を知って暮らしの未来を考え、ゼロ・ウェイスト社会へ。日本にもリサイクル率80％の町がある!!　定価(本体1500円＋税)

『図解でわかる
14歳から知る 生物多様性』
気候変動と並ぶSDGsの大問題。私たちの便利な暮らしが生物の大絶滅を引き起こす!? 地球だけがもつ奇跡の多様性を守るために、いま知っておくべきこと。
定価(本体1500円＋税)

図解でわかる
**14歳から知る
世界の宗教と文化シリーズ**
宗教がわかれば
世界が見えてくる

『図解でわかる
**14歳から知る
日本人の宗教と文化**』
「信じる」より「感じる」、そんなゆるやかな宗教の時代へ。日本人の7割以上が無宗教?!それは、大きな誤解。万物に命を感じ、ゆるーく神仏を祀る。縄文から続く日本人の宗教と文化をたどる。
山折哲雄・監修　大角修・共著　定価 (本体1500円＋税)

『図解でわかる
14歳から知る キリスト教』
世界史を理解するために、世界最大の宗教を知る。世界の3人に1人が信者。国際社会の動向を把握するうえで無視できない存在＝キリスト教。
山折哲雄・監修　定価 (本体1500円＋税)

監修／山折哲雄（やまおり・てつお）
1931年生まれ。宗教学者。東北大学文学部印度哲学科卒業。同大学文学部助教授、国立歴史民俗博物館教授、国際日本文化研究センター教授、同センター所長などを歴任。著者は『死者と先祖の話』『勿体なや祖師は紙衣の九十年‐大谷句仏』『「ひとり」の哲学』『空海の企て』『天皇の宮中祭祀と日本人』『天皇と日本人』など多数。

著／インフォビジュアル研究所
2007年より代表の大嶋賢洋を中心に、ビジュアル・コンテンツを制作・出版。主な作品に『イラスト図解 イスラム世界』（日東書院本社）、『超図解 一番わかりやすいキリスト教入門』（東洋経済新報社）、「図解でわかる」シリーズ『ホモ・サピエンスの秘密』『14歳からのお金の説明書』『14歳からのプラスチックと環境問題』『14歳から考える民主主義』『14歳から知る裁判員裁判』（太田出版）などがある。

著／大角 修（おおかど・おさむ）
1949年生まれ。東北大学文学部宗教学科卒業。地人館代表。著書は『天皇家のお葬式』『全品現代語訳 法華経』『日本仏教全史』など多数。

企画・構成・図解制作／大嶋 賢洋
本文執筆／大角 修
編集／豊田 菜穂子
イラスト・図版制作／高田 寛務
カバーデザイン・DTP／河野 謙
校正／鷗来堂
カバーイラスト／AdobeStock

図解でわかる
14歳から知る
インド・中国の宗教と文化

2024年1月28日 初版第1刷発行

監修　　山折 哲雄
著者　　インフォビジュアル研究所
発行人　森山 裕之
発行所　株式会社太田出版
〒160-8571 東京都新宿区愛住町22 第三山田ビル4階
Tel.03-3359-6262 Fax.03-3359-0040
http://www.ohtabooks.com
印刷・製本／中央精版印刷株式会社

ISBN978-4-7783-1904-5 C0030